더 나은 삶을 위한 인생 투자 기법

재테크는 지테크다

강신진

BOOKK✎

저　자 | 강신진

발　행 | 2024년 6월 18일
펴낸이 | 한건희
펴낸곳 | 주식회사 부크크
출판사등록 | 2014.07.15.(제2014-16호)
주　소 | 서울특별시 금천구 가산디지털1로 119
　　　　　　　　　　　SK트윈타워 A동 305호

전　화 | 1670-8316
이메일 | info@bookk.co.kr

ISBN | 979-11-410-8852-1

www.bookk.co.kr

차례

들어가기

재테크는 행복이다

재테크의 모든 것을 안내하는 내용이다.

재테크가 단순히 돈을 버는 일이라고 알고 있는 재린이를 위한 글이다. 재린이는 재테크 어린이를 말한다. 재테크의 의미와 개념을 재정의하여 알려준다.

『재테크는 지테크이다.』 이 책은 재테크에 관한 깊은 뜻을 전한다. 여기에서 재테크는 의미가 다양하게 제시된다. 재테크는 지테크이며, 재태크이고, 인테크이고 휴테크를 말한다.

재테크는 지테크이고, 재테크이며, 인테크이다.
지테크는 지(志, 知, 智)테크이고,
재테크는 재(才, 財, 再)테크이며,
인테크는 인(人, 仁, 忍)테크이다.
재테크는 휴(休)테크이다.

재테크를 제대로 이해하여 좋은 사람이 되길 기대한다. 좋은 사람은 나와 세상을 중심으로 세상에 공헌하는 홍익인간(弘益人間)의 삶이다. 세상 사람 모두가 행복한 삶을 살아가길 희망한다.

재테크는 돈과 재정에 관해 투자에 대한 방법을 제시하는 게 아니다. 세상에서 편안하고 행복하게 살기 위한 세상 공부와 인생 공부에 대한 글이다. 자신감과 당당함으로 세상에서 행복한 삶을 위한 행복 찾는 길을 안내한다.

재테크와 행복은 내 마음먹기에 달려있다. 내가 행복을 정하고, 내가 행복을 결정하는 삶이다. 행복은 내 것이며, 누구나 다 행복할 권리가 있다. 삶에서 행복한 사람이 따로 있는 게 아니라 마음먹기에 행복이 달라진다.

재테크란 무엇일까?
행복이란 무엇인가?
행복한 사람은 누구인가?
행복한 삶은 무엇인가?
행복한 삶은 어떤 자세를 가져야 할까?

이 책은 행복한 삶을 위한 재테크에 관한 글과 시(詩)로 구성된다. 재테크는 행복한 삶을 위한 지혜이다. 행복한 삶에 필요한 재테크의 개념과 더 나은 삶을 위한 내 인생 투자기법이 담겨있다.

도서 『재테크는 지테크이다』 내용은 총 5부로 구성된다.

행복한 삶을 위한 지혜를 담은 안내서이다. 자신에게 투자하는 재테크 방법을 제시한다.

1부는 재테크의 일반적인 개념을 안내한다.

세상을 살아가려면 돈이 필요하다. 유쾌하고 상쾌하고 통쾌한 삶을 위한 재테크의 다양함을 안내한다. 『재테크는 지테크이다』의 재는 재(財), 재(才), 재(再)이고, 지테크의 지는 지(知), 지(志), 지(智)이다. 인테크는 인(人), 인(仁), 인(忍)이다. 행복을 위한 휴(休)테크의 개념을 제시한다.

행복한 삶을 위한 재테크 이야기다. 인생 선배가 들려주는 좋은 글과 명언을 담은 책이다.

2부는 새로운 앎을 위한 지테크이다.

인생에서 배움의 즐거움이다. 꿈과 목표, 행복에 관한 공부의 의미를 담은 글이다. 지테크는 삶에서 필요한 지식과 지혜를 담은 글이다. 배움은 Learning by Doing의 실천을 말한다. "책 속에 길이 있다.", "책을 읽으면 미래가 보인다"라는 지식과 지혜를 서술했다. 지테크는 내 꿈을 펼치기 위한 지(志)테크, 새로운 앎을 위한 배우고 익히는 지(知)테크, 지혜로운 삶을 위한 지(智)테크이다.

3부는 즐거운 삶을 위한 재테크이다.

누구나 타고난 개인의 소질과 재주에 관한 내용을 설명했다. 내 취미와 특기는 재주이다. 재(才)테크는 내가 가장 잘하고 즐거운 게 있으면, 삶에서 행하는 일이 행복이다. 재주의 의미와 삶의 가치를 실천하는 능력이다. 즐거운 삶을 위한 재주의 가치와 끼를 성취하는 방법에 관한 내용이다.

인생에서 꿈을 꾸고 도전하는 삶의 가치를 알아본다. 도전하는 삶의 중요한 의미와 가치를 제시한다. 성공하는 삶의 방향과 길을 살펴본다. 도전하는 삶에 끝은 없다.

꿈꾸는 삶을 위한 재(財)테크이다. 재정적인 안정은 삶을 편안하게 해준다. 돈에 관한 경제적 안정을 위해 노력하는 삶에 대한 방향을 제시한다. 재(財)테크는 step by step이다. step by Step은 순서대로 혹은 차근차근 이라는 의미의 영어 단어 표현이다.

행복한 삶을 위한 재(再)테크이다. 다시 공부하는 재(再)테크이다. 새로운 공부는 학문이나 기술을 새롭게 익히는 일이다. 행복은 저절로 주어지는 게 아니다. 행복은 나를 찾는 게임이며, 내가 가진 것에 대한 감사하는 기쁜 마음이다. 행복한 삶에 대한 성찰과 깨달음에 대하여 제시했다. 내가 하는 노력의 중요성과 행복의 가치를 안내한다. 행복한 삶의 의미와 가치를 알아본다.

4부는 내 인생 미래를 위한 인테크이다.

인테크는 인(人, 仁, 忍)테크이다. 사람 관계를 이해하는 인(人)테크, 착하고 성실하게 사는 인(仁)테크, 세상사 참고 인내하는 인(忍)테크이다.

과거와 현재의 인간관계에 관한 내용이다. 세상을 위한 삶을 사는 것이다. "세 살 버릇 여든까지"라는 속담이 있다. 어린 시절부터 좋은 습관의 중요성을 강조한다. 행복한 마음으로 살아남기란 쉬운 일은 아니다. 한 번뿐인 삶이다. 행복하고 좋은 사람이 되기 위해 함께 고민하고 실천하자는 책이다.

5부는 행복을 위한 휴테크이다.

휴테크는 행복한 삶을 위한 방법을 말한다. 휴(休)테크는 휴식이고, 여가이며, 놀이이다. 쉴 때, 놀 때, 일할 때 시간관리와 자기관리를 하는 기술이다. 휴(休)테크 시대이다. 일하느라 힘든 삶을 살았다면 이제는 휴식을 취하는 시기다. 여유로운 삶은 여가를 즐기는 삶이다.

휴테크를 하는 이유는 행복한 삶을 위한 일이다. 모든 게 내 마음먹기에 달려있다. 내 인생 주도적으로 펼쳐나가는 에너지가 될 것이다. 나를 사랑하고 꿈과 희망을 품으면 행복을 내가 만드는 것이다. 내가 가진 마음을 찾는 내 마음이다. 마음에 집중하면 삶의 의미를 생각하게 된다.

100세 시대는 평생 학습하는 삶이다. 인생은 배우며 익히며 앎을 실천하는 삶이며, 깨닫는 삶이라면 더욱 바랄 게 없다. 롱런(Long Run)은 롱런(Long Learn)이다. 인생은 선택이다. 선택은 내가 잘해야 기회가 오고, 기회를 통해서 삶을 바꾸어 갈 수 있다. 내가 선택하여 내가 만들어 가는 내 인생이다. 인생에는 정답이 없다. 기쁨도 고단함도 슬픔도 기꺼운 마음으로 받아들이며 살아내는 삶이 진정한 삶이다. 오늘도 감사하는 마음으로 잘사는 것이다. 도서 『재테크는 지테크이다』가 내 인생의 행복을 찾게 되는 보물이 되길 바랍니다.

이 책을 읽는 지금이 재테크를 가장 빠르게 하는 때이다. 더 늦기 전에 재테크는 바로 지금부터 실천한다. 이 책을 읽고 행동으로 옮기는 일이 재테크의 기본이다.

행복한 삶을 살아가는 데 조금이나마 이바지할 수 있기를 바라며, 이 글을 바칩니다.

고맙습니다. 감사합니다. 사랑합니다.

2024.6. 상상 그 이상

강신진

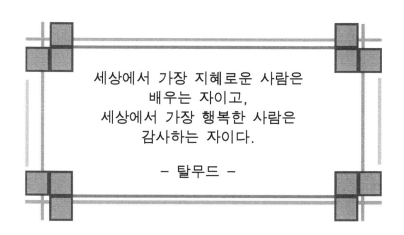

세상에서 가장 지혜로운 사람은
배우는 자이고,
세상에서 가장 행복한 사람은
감사하는 자이다.

- 탈무드 -

1부

재테크의 모든 것

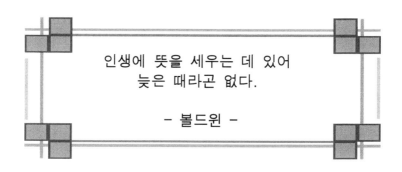

인생에 뜻을 세우는 데 있어
늦은 때라곤 없다.

- 볼드윈 -

1부. 재테크의 모든 것

요즘 재테크에 관심이 많은 시대이다. 일반적인 재테크의 의미는 자신의 소득과 수입을 늘릴 방법을 찾는 것이다.

재테크는 내 삶에서 행복을 누리며 자랑스럽게 지내기 위함이다. 재테크는 불가능한 꿈을 꾸는 게 아니라 생활 그 자체이다. 누구나 부에 희망을 품고 꿈꾸는 삶이다. 한 번뿐인 인생이다. 내 인생 목표의 하나이다. 재테크는 생활이고, 나를 행복하게 하는 수단이다.

재테크를 하는 이유는 다양하다. 재테크는 의미 있는 일이며, 가치 있는 일이다. 하지만, 대부분은 더 많은 돈을 벌기 위해서 하는 일이라고 알고 있다. 삶에서 돈은 소중하고 제대로 알아야 한다. 돈 공부는 부자뿐만 아니라 누구나 다 해야 하는 의무다. 내 삶의 역사를 위하고, 더 행복한 삶을 위해 도전하는 일이다.

도서 『재테크는 지테크다』는 지금보다 더 나은 삶을 위한 인생 투자기법을 안내한다.

궁금하다! 재테크

유대 격언에는 "돈은 무자비한 주인이지만, 유익한 종이 되기도 한다."라고 했다. 돈이 인생의 전부는 아니지만, 돈은 삶에서 중요한 것이다. 돈의 가치는 돈이 필요할 때가 되면 알수 있다. 행복은 돈으로 살 수 없다는 말이 있다. 그렇다고 돈이 많다고 행복한 것은 아니다. 다만 적절한 돈은 행복한 삶의 기본이다. 재테크와 돈, 부의 관계가 궁금하다.

일반적으로 돈이 많은 사람을 부자라고 한다. 부자가 되는 길을 가장 잘 아는 사람은 부자들이다. 하지만 부자들은 부자가 되는 비결에 대해 누구에게나 함부로 알려주지 않는다. 그들은 자신의 삶을 정리하면서 자서전을 쓰고 경험 일부를 제공한다. 또는 방송에서 특강, 세미나에서 알려준다. 그러나 구체적인 방법이나 정확한 비법은 제대로 제공하지 않는다. 직접적으로 돈 버는 방법을 얘기하지 않고, 인생관이나 품성 또는 일을 대하는 태도에 관한 얘기를 많이 한다.

"태어날 때 가난한 것은 당신의 잘못이 아니다. 하지만 죽을 때도 가난한 것은 당신의 잘못이다." 빌 게이츠의 말이다. 가난을 벗어나려면 노력하고 실천하라는 의미다. 돈으로부터 자유로운 사람은 삶의 사고방식이 다르다.

폴 게티는 미국의 석유 재벌 기업인이자 게티 재단의 설립자이다. "일찍 일어나기, 열심히 일하기. 성공을 위한 법칙은 이것뿐이다." 또한 "부자가 되고 싶다면 주위의 부자가 하는 것을 그대로 따라 하라. 그러다 보면 당신도 어느새 부자가 되어 있을 것이다."라고 했다. 부자 되는 길의 의미를 간단하게 표현했다. 세상에 공짜는 없고, 성공엔 지름길도 없다는 의미와 같다.

돈과 관련한 진정한 전문가는 부자들이다. 따라서 백만장자 마인드는 부자들에게서 배울 수 있다. 잘하는 분야의 전문가를 따라 한다면 못 할 게 없다. 성실하게 꾸준히 한다면 전문 분야로 진출하는 가능성은 커지는 게 당연하다. 부자의 방법을 일부라도 따라 하면 부자 되는 길을 가는 것이다. 먼저 경험한 자의 방법을 익히면 된다. 이는 야구를 잘하려면 야구선수의 동작이나 습관, 기본적인 자세를 따라 한다면 어느 정도는 잘하게 된다.

"모방은 창조의 어머니"라 했다. 창조는 따라 하기가 기본이다. 창조하기는 모방이 지름길이다.

재테크의 골든서클(Golden circle)

골든서클(Golden Circle) 이론이다. 사이먼 시넥(Simon Sinek)이 『Ted 리더십에서 강의한 문제 해결 과정 모델』이다. "골든서클 모델은 Why, How, What이다. 어떠한 문제에 대해 What, How, Why 순으로 접근하는데, 세상을 바꾸는 주인공들은 Why, How, What 순으로 접근한다"라고 한다.

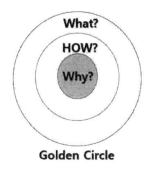

Golden Circle

"Why는 왜 이 일을 하는가? 이고, How는 어떻게 할 것인가? What은 무엇을 할 것인가?"이다.[1]

재테크의 이유는 무엇인가?

재테크의 목적은 무엇인가?

재테크 어떻게 할까?

---

1) 유튜브 테드 강연 골든서클(Golden Circle) 이론
  https://www.youtube.com/watch?v=kzIhT6EKgjc&t=126s

돈을 버는 이유는?

 돈을 버는 근본적인 이유는 먹고 살려고 한다. 돈으로부터 자유로운 사람들은 많지 않다. 그러나 대부분 생계를 위한 일을 하는 데 인생 대부분 시간을 보낸다. 돈을 벌어 행복하게 살려는 목적이 대부분이다. 재테크는 주식이나 부동산, 비트코인 등 다양한 분야가 있다. 재테크를 하는 이유는 너무 당연한 얘기지만, 돈을 벌기 위해서이다. 돈의 소중함을 알려면 자기가 직접 땀을 흘리면서 벌어봐야 가치를 안다. 아르바이트는 돈의 소중함을 알게 해주고 더불어 경력도 쌓을 수 있는 좋은 경험이다.

 삶에서 월급과 물가를 생각한다. 내 월급 빼고 다 오른다고들 걱정한다. 내 월급 오른 만큼 물가가 오르면 마이너스 생활이다. 물가와 월급은 비례하지 않는다. 월급은 물가를 따라잡을 수 없다. 월급은 물가보다 늘 적게 오르기 때문이다. 월급이 오른 만큼 저축해도 물가는 뛴다. 물가와 비교해 아주 작게 월급이 오른다. 그래서 나온 말이 월급쟁이는 웬만해서 부자가 되지 못한다는 말이다. 내 월급만 오르면 좋을 텐데….
 재테크는 저축하는 습관에서 출발한다. 수입의 일부는 반드시 저축하는 원칙을 지켜 종잣돈을 마련해야 한다. 종잣돈이 있어야 투자하는 것이다.

버핏은 투자의 대표적인 인물이다. 그는 30여 년 동안 연평균 약 22%의 투자수익률을 올렸다. 이 수익률로 그는 세계에서 손꼽는 부자가 됐다. 훌륭한 투자자들은 아주 심할 정도로 보수적이다. 투자에 관해 공부하는 방식이 다르다.

"경제학자는 이론으로 공부하며 재테크하고, 사업가나 투자자는 실전에 참여하며 재테크한다."라는 말이 있다. 투자에 대해서는 직접 경험한 사람의 이야기를 들어야 좋은 정보를 얻을 수 있다. 일반인들은 투자 방법을 잘 못 판단 하고서야 깨닫는 경우가 많다. 투자에 능한 사람들은 최악의 상황을 가정하지만 그렇지 못한 사람들은 최선의 상황을 머리에 떠올린다. 일반적으로 투자할 때는 장밋빛 미래를 먼저 생각한다. 그러나 전문 투자자들은 투자에 앞서 따지고 또 따져본 후 의사 결정을 한다.

지금 당장 재테크 방법이 필요하다. 하지만, 돈을 어떻게 벌고 관리하는 게 좋은지 알기 쉽지 않다. 누군가는 한방을 기다리는 사람도 있다. 이는 당연한 현상이다. 로또 복권에 당첨되길 기다리고 있을 것인가? 재테크는 세상을 공부하는 것이다. 세상을 관찰하여 재능을 키우고 세상 공부를 해야 재산을 쌓을 수 있다.

재테크의 모든 것이다

일반적인 재테크의 의미다. 재테크는 보통 재산이나 돈을 버는 기술을 의미한다.

재테크란 한자 '재무(財務)'와 영어 'Technology'의 합성어인 '재무 테크놀로지'의 합성어로 "재(財)+Tech"로 표현하는 말이다. 재무에 대한 관리, 재무 지식과 재무 기술을 의미한다. 보통 돈을 벌고 불리는 방법으로 알려졌다. 최근에는 개인이 재산 증식을 위해 은행이나 주식, 부동산 등에 전문가적 안목을 갖고 투자하는 행동을 재테크로 간주하고 있다.

이 책에서 말하는 재테크 의미는 다양하다.

재테크 의미를 크게 4가지로 분류하고, 각 장에서 재테크의 구체적인 사항을 설명한다.

첫째, 재테크는 재테크다.
둘째, 재테크는 지테크다.
셋째, 재테크는 인테크다.
넷째, 재테크는 휴테크다.

첫째, 재테크는 재테크다.

행복한 삶을 위한 재테크로 3가지로 제시한다. 재테크는 재(財)테크, 재(才)테크, 재(再)테크 이다.

재테크는 꿈꾸는 삶을 준비하기 위한 재테크이며, 내 전문성 함양을 위하여 빨리 시작해야 하는 것이 재테크다.

> 즐거운 삶을 위한 재(才)테크
> 꿈꾸는 삶을 위한 재(財)테크
> 행복한 삶을 위한 재(再)테크
> 3부에서 3가지의 재테크를 설명한다.

둘째, 재테크는 지테크다.

배우고 익히는 지테크로 3가지로 제시한다. 지테크는 지(志)테크, 지(知)테크, 지(智)테크 이다.

지테크는 큰 꿈을 갖고 목표를 세우는 일이다. 내 전문성 함양이다. 공부하고 책을 읽는 방법을 제시한다.

> 내 꿈을 펼치기 위한 지(志)테크
> 새로운 것을 배우고 익히는 지(知)테크
> 지혜로운 삶을 위한 지(智)테크
> 2부에서 지테크 3가지를 설명한다.

셋째, 재테크는 인테크다.

세상을 행복하게 사는 인테크로 3가지로 제시한다. 인테크는 인(仁)테크, 인(忍)테크, 인(人)테크이다.

"경험은 인생의 스승이다."라고 한다. 인생은 경험이다. 인생 지금까지 살다 보니 경험이 인생의 스승임을 실감한다. 인생은 인간관계가 행복을 좌우하는 삶이다.

> 성실하고 올바른 삶을 위한 인(仁)테크
> 사람 관계에서 기다리는 마음 인(忍)테크
> 인간관계 됨됨이를 바로 세우는 인(人)테크
> 4부에서 인테크 3가지를 설명한다.

넷째, 행복은 휴테크다.

삶의 재미와 즐거움을 추구할 수 있는 휴(休)테크이다. 내 몸에 투자하고 건강하게 여유를 가지고 즐기는 삶이다. 휴테크를 하는 이유는 행복한 삶을 위한 일이다.

웰빙과 웰다잉 시대 취미와 특기를 가지고 세상에 이바지하며 사는 게 보람이고 만족이다. 인생은 희로애락(喜怒哀樂)이다. 행복은 마음먹기다.

5부에서 휴테크를 구체적으로 설명한다.

언제 어디에서나 재테크이다

100세 인생 시대에 언제까지 살지 모른다. 우리나라도 초고령사회에 접어들었다. 평균 수명은 길어진 만큼 지출해야 할 돈은 점점 더 필요하다. 돈을 벌 수 있는 나이에는 한계가 있다. 국가에서 나오는 연금으로는 충분하게 노후를 보낸다면 행복한 삶이다. 대부분 삶에서 돈은 부족하기 마련이다. 따라서 재테크는 젊은 시절부터 꾸준하게 하는 것이다.

가장 좋은 재테크는 나 자신에게 투자하는 방법이다. 내가 가진 재능에 집중하는 투자이다. 부단한 자기 계발 노력을 통해 직업을 갖는 게 첫 번째이다. 직장에서 월급이나 소득이 발생하는 기간을 최대한 늘리는 것이다.

"하늘은 스스로 돕는 자를 돕는다"라고 했다. 직장에서 더 열심히 하면 승진도 하고 월급도 오른다. 자신의 전문성에 대한 보상이다. 또한 재테크는 돈을 벌고, 돈을 아끼고, 돈을 모으고, 돈을 굴려서 더 큰 돈으로 늘리는 것이다. 돈뿐만 아니라 재산을 늘릴 수 있는 수단이면 모두 재테크이다.

재테크에 대한 넌센스 퀴즈이다.
"약 중에 가장 좋은 약은?"

절약이다.

절약은 구두쇠 전략이다. 짠돌이(짠순이)의 삶이다. 짠순이
(짠돌이)의 절약 정신과 실천이 짠테크이다. 짠테크는 부자가
되기 위한 첫 방법이다. 짠테크의 삶은 내 마음이다. 짠테크
는 꼭 필요한 것만 소비하는 절약하는 삶이다. 미래의 나에게
투자하는 가장 좋은 재테크는 절약부터 시작하는 것이다.

"계획이 없는 목표는 한낱 꿈에 불과하다"라는 말이 있다.
구체적인 목표 설정과 계획이 내 인생의 미래다. 세상은 넓고
돈 벌 일은 무궁무진하다. 개인마다 돈 버는 방법은 다르다.
생각대로 마음먹은 대로 되지 않지만, 최근엔 다양한 분야에
서 돈을 벌 수 있는 시대이다.

재테크는 범위가 상당히 넓다. 우리가 익히 알고 있는 금융
상품의 저축과 적금, 보험, 주식, 부동산, 외환, 가상화폐, 원
자재까지 다양하다. 삶에서 모든 것이 재테크의 대상이다.

일상의 재테크 3가지 방법

재테크를 3가지로 제시한다. 재(才)테크, 재(財)테크, 재(再)테크이다. 재(財)테크의 3가지 방법이다. 재테크는 꿈꾸는 삶을 준비하기 위한 재테크이며, 내 전문성 함양을 위하여 시작해야 하는 것이 재테크다.

즐거운 삶을 위한 재(才)테크

꿈꾸는 삶을 위한 재(財)테크

행복한 삶을 위한 재(再)테크

첫째, 재(才)테크 이다.

한자의 재주 재능의 재(才) 이다. 어떤 일을 하는 데 필요한 재주와 능력을 의미한다. 재능(才能, talent, gift, ability, aptitude)이란 어떤 일을 하는 데 필요한 재주와 능력과 개인이 타고난 능력과 훈련으로 획득된 능력을 아울러 이른다.

지적 재능, 지적 능력이며 타고난 소질을 말한다. 이는 내가 사명을 띠고 태어난 재능, 달란트다. 달란트라는 말을 재능이나 은사, 소명 등과 같이 신이 내려주었다고 생각하는 것을 가리켜 부르는 말로도 사용한다. 취미나 특기, 개인의 특별한 재능이다.

둘째, 재(財)테크 이다.

재테크란 한자 '재무(財務)'와 영어 'Technology'의 합성어인 '재무 테크놀로지'의 줄임말이다. 재테크는 본래 기업 경영에서 사용되던 용어지만, IMF 외환 위기가 이후 경제에 관한 관심이 높아지면서 자산을 안전하게 불려 나가려는 일반 가계에서도 쓰이게 된 말이다.

재테크를 한마디로 말하면 '돈을 버는 기술'이라고 정의할 수 있다. 재테크의 종류에는 주식과 펀드, 보험, 부동산 등 매우 다양하다.

특히 부동산 가격은 지역에 따라 다르지만, 땅값과 건물값은 지역에 따라 엄청나게 오른다. 최근에는 부동산, 주식 이외에 코인, 아트테크, 핀테크 등 같은 다양한 파생 용어들이 만들어지고 사용되고 있다. 포도주 재테크와 곤충 및 식물 재테크, 금이나 유물이나 명품 활용법 등 다양하다.

재테크와 유사한 용이다. 핀테크(FinTech 또는 Financial Technology)는 금융(Finance)과 기술(Technology)의 합성어로, 모바일, 빅 데이터, SNS 등의 첨단 정보 기술을 기반으로 한 금융서비스 및 산업의 변화를 통칭한다. 정보통신 기술을 기반으로 한 모든 금융서비스이다.[2]

---

2) 위키백과 핀테크
   https://ko.wikipedia.org/wiki/핀테크

셋째, 재(再)테크 이다.

100세 시대가 되었지만 한 번뿐인 인생이다. 그러나 직장 생활을 하면 나이를 먹고 퇴직한다. 퇴직 이후부터는 재(再)테크 해야 한다는 의미로 재정의한다. 한자의 재(再)는 다시 거듭난다는 의미다.

한 번뿐인 인생이다. 퇴직 이후 새로운 제2의 삶을 위하여 다시 도전하는 도전정신 능력을 의미한다. 다시 제2의 삶을 살려면 다시 한번 새로운 공부를 해야 한다. 재테크는 다시 한번 배우고 익혀 새로운 은빛 청춘의 삶을 사는 비법이다.

제2의 삶은 오래 활동하는 삶을 말하며, 롱런(Long Run)은 롱런(Long Learn)이다. 다시 새로운 공부를 하는 평생 학습의 중요성을 강조하는 말이다.

지혜로운 지테크 3가지

지혜로운 지테크는 배우고 익히는 지테크로 3가지로 제시한다. 지테크는 지(志)테크, 지(知)테크, 지(智)테크 이다.

지테크는 큰 꿈을 갖고 목표를 세우는 일이다. 내 전문성 함양이다. 공부하고 책을 읽는 방법과 비결은 경험을 제시한다. 인생은 경험이다. 경험은 인생의 스승이라고 한다.

> 내 꿈을 펼치기 위한 지(志)테크
> 새로운 것을 배우고 익히는 지(知)테크
> 지혜로운 삶을 위한 지(智)테크

첫째, 지테크는 지(志)테크다.

지테크는 지(志)테크이다.

지(志)는 한자의 뜻지(志) 이다. 어떤 뜻을 의미한다. 志는 '뜻 지'라는 한자로, 뜻, 뜻을 둔다, 마음 등을 뜻한다. 머릿속의 뜻과 마음속의 뜻을 가지고 무언가 하고자 함. 의지이다.

뜻이란?

뜻을 잘 아는 것이 삶을 잘 사는 길이 아닐까? 뜻은 마음속에 간직한 어떤 생각이다. 지테크는 뜻을 세우는 일이다.

내 마음속에서 무언가 하고자 하는 의지이다. 이는 내 마음의 꿈과 목표이고 희망이다. 꿈이요 하고자 하는 의지이고 목표이고 내 뜻이다. 과거에 이룬 게 지금의 나이다. 지금부터가 미래이다. 좋아하는 일과 잘하는 일을 찾아야 한다. 꿈은 바뀔 수도 있다. 그렇지만, 하고자 하는 뜻과 의지와 실천은 내 노력이다.

꿈을 이루는 비법이다.

첫째, 꿈과 목표를 시각화하여 그림으로 붙인다. 그림이나 글로 쓴 구체적인 비전 보드이다.

둘째, 외친다. 다짐한다.

내 뜻을 반복하여 일상에서 늘 말한다. 이를 통해 잠재의식을 바꾸고 긍정적 주문을 걸어 소원을 이루는 원리다. 자기계발과 성공을 위한 긍정적 암시 기법으로 활용된다. 원하는 모든 걸 성취할 수는 없다. 다만 뜻을 이루는 방법은 마음가짐과 노력뿐이다.

"생각이 바뀌면 행동이 바뀌고,

행동이 바뀌면 습관이 바뀌며,

습관이 바뀌면 운명이 바뀐다." 미국의 철학자 윌리엄 제임스가 한 말이다. 습관의 중요성을 강조하는 말이다. 지금부터 좋은 습관으로 바꿀 수 있도록 최선을 다해야겠다.

둘째, 지테크는 지식(知識)이다.

지테크는 지(知)테크이다.

지(知)는 한자의 알지(知)이다. 어떤 것을 안다는 의미다. 이 의미는 안다는 것으로 어떠한 것을 이해할 수 있거나 그에 대한 지식이 있다는 것을 의미한다. 지식을 터득하는 일이다. 한마디로 말하면 앎이다. 지식을 쌓는 일이다. 시험공부, 자격증 공부, 공부하는 일이다. 공부하여 앎을 깨닫는 과정이다.

지테크는 공부다. 초·중·고·대학교에서 배우는 지식을 공부하는 것이다. 대학은 학문을 갈고닦는 공부이지만, 취업 기관이 된 지 오래다. 학교 공부는 진학 공부가 되었다. 학교 공부는 시험공부이고 자격을 취득하는 전문성 공부다. 직업을 선택하기 위한 취업 공부하고 취업해선 인간관계 공부하는 세상이다.

왜 공부하지?
무엇을 공부하지?
어떻게 공부하지?

사회에서 생활하는 세상 공부의 시작이다. 직업에서 사회에 이바지하는 삶이다. 세상 오래 살다 보면 이제는 깨달음을 얻는다. 인생 공부는 깨달음의 공부다.

지테크는 공부다. 공부는 독서다. 책 속에는 글이 있다. 이 글을 읽으면 길이 보인다. 그래서 나온 말이 책 속에 길이 있다. 공부는 독서가 제일이다.

소크라테스는 "남의 책을 많이 읽어라. 남이 고생하여 얻은 지식을 아주 쉽게 내 것으로 만들 수 있고, 그것으로 자기 발전을 이룰 수 있다."라고 했다. 독서는 간접 경험으로 다양한 지식과 정보를 얻는다. 또한 지혜의 보따리다.

독서는 지식과 지혜를 얻는 미래 보물이다. 책 한 권은 글쓴이의 수많은 시간과 큰 노력이 들어간 지혜이다. "책은 청년에게는 음식이 되고 노인에게는 오락이 된다. 부유할 땐 지식이 되고, 고통스러울 때 위안이 된다."라고 키케로는 전한다. 과거나 현재에도 책은 지식의 창고이다. 책을 읽으면 미래가 보인다. 책은 나를 성장시키는 배움 비타민이다.

셋째, 지(智)테크는 지혜(智慧)이다.

지혜(智慧/知慧) 또는 슬기는 이치를 빨리 깨치고 사물을 정확하게 처리하는 전인적 능력이다. 지식에 의해서 얻을 수 있는 것이라는 의미에서 발전하여, 지금은 주로 사리를 분별하며 적절히 처리하는 능력을 가리킨다.

지혜롭게 산다는 것은 무엇인가?

지금 해야 할 것을 하는 게 지혜로운 삶이다. 내 행복을 위하고 타인의 행복을 위한다면 특별함이고 탁월함이며 위대함이다. 지혜로운 삶은 세상 공부이고 인생 공부이며, 깨달음 공부이다. 인생을 깨달음을 아는 것이다. 지혜를 아는 지(智)테크이다.

공자는 "아는 것은 안다고 하고, 모르는 것은 모른다고 하는 것, 이것이 진정 아는 것이다"라고 간단명료하게 정리했다. 알기 위해 공부한다. 인생은 공부하는 삶이다.

공부는 나를 위하고, 내 삶을 위하는 것이다. 공부는 세상을 위해 이바지한다. 공부는 지식을 쌓지만 결국 지혜를 터득하는 일이다. 인생 공부가 세상 공부이다. 지식 공부가 평생 공부이다. 인간관계 쌓는 게 인생 공부다. 덕을 베풀며 사는 게 인생이다.

모르니까 배우는 거다. 공부는 전문가 되려고 공부한다. 그렇지만 제대로 하려면 공부해야 한다. 가장 좋은 방법이 공부다. 누군가는 전문가 되려고 공부한다. 전문직업에 종사하는 일이다. 모든 직업은 모두가 전문가이다.

지식이 재산인 시대 지식 재산권이 대세이다. 특허, 실용신안, 디자인 상표권이 있으며 저작권이 대세인 시대이다. 창의적인 아이디어이다. 지식 재산권이란 인간의 창조적 활동 또는 경험 등에 의하여 창출되거나 발견된 지식재산에 관한 권리를 말한다. 저작권(著作權, copyright 카피라이트)은 저작권이란 시, 소설, 음악, 미술, 영화, 연극, 컴퓨터프로그램 등과 같은 '저작물'에 대하여 창작자가 가지는 권리를 말한다. 저작권은 만든이의 권리를 보호하여 문화를 발전시키는 것을 목적으로 한다.

마치 물건의 주인이 갖게 되는 소유권처럼 자신이 만들어 낸 표현에 대해 가지는 권리다. 이런 표현의 결과물이 '저작물'이다. 저작권은 저작물의 창작이 있기만 하면 자연히 발생하는 것이다. 또한 공개하지 않은 것이라도 저작물로 보호를 받는다. 저작권은 토지와 같은 부동산과 마찬가지로 매매하거나 상속할 수 있고, 다른 사람에게 빌려줄 수도 있다. 저작권도 지식이 재산이 되는 시대의 재테크 방법이다.

세상은 넓고 재테크할 곳은 많다. 세상일에 관심을 두다 보면 재테크할 곳들이 많다. 새로운 것을 알아가는 재미도 즐길 수 있다. 재테크는 step by step이다. 재테크의 여러 가지 방법을 자신에게 맞는 방법으로 선택하여 실천하는 노력이 필요하다.

행복한 삶을 위한 인테크

행복한 삶을 위한 길은 인(人)테크이다.

세상을 행복하게 사는 인테크로 3가지로 제시한다. 인테크는 인(仁)테크, 인(忍)테크, 인(人)테크이다.

인생 지금까지 살다 보니 경험은 인생의 스승이라고 실감한다. 인생은 전반전부터 주변 사람에게 투자하는 게 행복한 삶이다.

성실하고 올바른 삶을 위한 인(仁)테크

사람 관계에서 기다리는 마음 인(忍)테크

인간관계 됨됨이를 바로 세우는 인(人)테크

여기에서 인테크의 의미는 간단하다. 인테크를 한자로 바꿔 언급하고자 한다. 인테크란 한자 '인(人) 사람인'과 영어 'Technology'의 합성어인 '인 테크놀로지'의 줄임말이다. 또한 인(仁)테크, 인(忍)테크이다.

인테크의 기본은 가정이다. 기본이 바로 서야 가정이 바로 서며, 가정이 바로 서야 학교가 바로 선다. 학교가 바로 서야 사회가 바로 선다. 사회가 바로 서야 국가가 바로 서는 것이다.

첫째, 인(仁)테크이다.

인테크의 인(仁)은 '어질다'이다. 어질다의 뜻은 "마음이 너그럽고 착하며 슬기롭고 덕이 높다."이다. '어질게' 살아 보려고 노력해도 뜻대로 되지 않는 것이 현실이다.

성실하고 올바른 삶을 위한 인(仁)테크이다. 이는 공자가 주장한 유교의 도덕 이념 또는 정치 이념에서 사람이 마땅히 지켜야 할 다섯 가지 도리인 인의예지신(仁義禮智信) 중 하나다. 공자는 인을, 혈족애를 바탕으로 한, 인간 특유의 도덕적 감수성에 가까운 의미로 사용했다. 인자무적(仁者無敵)이라는 문구가 있다. 간단하게 해석하면 어진 사람은 적이 없다는 말이다. 적이 왜 없을까?

인자는 배려와 따뜻한 어머니의 사랑을 실천하는 리더십의 덕목이다. 교사는 학생을 사람하고 인정하며 가르치는 마음이다. 인(仁)을 실천하는 마음이 인테크이다.

둘째, 인(忍)테크 이다.

사람 관계에서 기다리는 마음 인(忍)테크이다. 인생은 희로애락(喜怒哀樂)이다. 사람의 마음속에는 이런 게 숨어 있다. 인생은 살아가는 게 기쁨이고, 성취하면 더욱 기쁘다.

살다 보면 화나는 일도 있고 슬픈 일도 있다. 그렇지만 화가 날 때는 마음에서 말이나 행동이 본의 아니게 솟아오르는 것이 있다. 인정받지 못하거나 뜻대로 되지 않으면 화가 난다. 화나는 일이 생겨도 감정이 밀어닥쳐도 죽은 듯이 가만히 기다려야 하는 게 인내이다. 참는다는 것은 내 마음을 단단히 먹는 것이다. 그렇다고 무작정 참기만 하면 화병 난다. 참을 인(忍) 세 번이면 살인도 면한다는 속담이 있다.

인생을 살면서 수 없이 인내해야 할 것들이 너무도 많이 있다. 장 자크 루소의 명언 "인내는 쓰나 그 열매는 달다."가 있다. 인내란 참을 인(忍)과 견딜 내(耐), 즉. 참고 견디는 것을 뜻한다. 인내를 갖추었더라고 하더라도 사람마다 그 깊이에 차이가 있다. 인내가 소중한 덕목인 만큼 그에 관한 명언들이 많다. 시련의 순간들은 고통과 아픔이 있다. 인테크는 참는 게 복되다는 의미의 인테크다.

셋째, 인(人)테크이다.

인간관계 됨됨이를 바로 세우는 인(人)테크이다. 사회생활을 하다 보면 수많은, 다양한 인간관계가 만들어진다. 서로 도움을 주고받는 관계, 친구는 신뢰와 우정의 관계, 가족에 사람과 존중의 관계….

1부. 재테크의 모든 것

학교와 사회에 적응하려면 인간관계는 필수이다. 대화가 잘 이루어지는 관계다. 공감과 경청이다. 서로 통한다라는 의미다. 불통은 고통이고 두통이 온다. 인간관계는 주변 사람들에 가깝게 대하는 태도이다.

　아리스토텔레스의 "인간은 사회적 동물이다."라고 했다. 인간은 개인으로 존재한다. 다만 사회를 형성하여 다른 사람과 관계를 유지하고 함께 어울리는 삶을 의미한다. 인간관계를 맺으며 사는 삶이다. 사회에는 법이 있다. 이를 잘 지키며 사람 사는 세상에서 지켜야 할 덕목이다. 생활 모두를 법으로만 규제할 수도 없는 일이다. 융통성도 보이며 섬기고 봉사하는 자세가 인테크의 실현이다. 오랜 노력을 통해 바른 태도와 습관으로 도움 주는 삶을 사는 게 인테크의 지름길이다.

재테크는 행복한 삶이다

행복을 위한 휴테크이다. 휴테크는 행복한 삶을 위한 방법을 말한다. 휴(休)테크는 휴식이고, 여가이며, 놀이이다. 쉴 때, 놀 때, 일할 때 시간 관리와 자기관리를 하는 기술이다. 휴(休)테크 시대이다. 일하느라 힘든 삶을 살았다면 이제는 휴식을 취하는 시기다. 여유로운 삶은 여가를 즐기는 삶이다.

현대인들에게 지금보다 더 행복해지는 데 필요한 것이 돈이다. 돈은 삶의 목적이 아닌 자신의 행복한 삶을 위한 하나의 수단이다.

돈의 많고 적음보다는 웰빙의 삶이 중요하다. 돈이 있어야 기부도 하고 도와줄 수 있는 것이다. 추구해야 하는 재테크 방향을 정하는 일이다. 자기 행복을 위해 주어진 것에 만족하며 감사할 수 있는 하루하루가 얼마나 소중한지 재테크는 행복을 위해서다. 행복을 찾는 여정이 되어야 한다.

『톨스토이 단편선, 세 가지 질문』 중에서 톨스토이의 명언이다.

내 생에 가장 중요한 시간은 언제인가?

내 생에 가장 중요한 사람은 누구인가?

내 생에 가장 중요한 일은 무엇인가?

현자(賢者)는 왕에게 가장 중요한 시간은 바로 '지금'이다. 왜 지금이 중요한가는 우리는 오직 '지금'만 영향력을 행사할 수 있기 때문으로 오직 이 순간만이 우리가 마음대로 다룰 수 있는 유일한 시간이다. 가장 중요한 사람은 바로 지금 함께 있는 사람이다. 앞으로 그 어떤 상황에서 그 누구와 자신이 인간관계를 맺어 나갈지 알 수 없으므로 가장 중요한 사람은 바로 지금 함께 있는 사람인 것이다.

가장 중요한 일은 함께 있는 그 사람에게 착한 일을 행하라는 것이다. 그를 위해 이 세상에 우리가 태어났고, 오직 이를 위해 우리가 이 세상에 왔다는 사실을 잊지 말라는 것이다.

나는 누구인가?
나에게 가장 중요한 시간은 언제인가?
내게 가장 중요한 사람은 누구인가?
내게 가장 중요한 일은 무엇인가?
지금 나 자신을 생각하는 시간을 가져본다.
나는 어떻게 살아야 할까?

어제의 나와 지금의 나를 생각하는 순간이다. 내가 성장과 발전을 위하고 세상을 올바르게 살아가는 삶의 깨달음으로 우리가 나아갈 길을 담았다. 우리 일상은 습관의 연속이다.

인생은 행복을 추구하며 산다. 삶에서 희로애락은 우리에게 삶의 지혜를 전해준다. 하루, 일주일, 한 달, 일 년, 수십 년 생애 기간 내내 반복하는 삶이다. 경험은 인생의 스승이라고 하지 않던가. 누군가에게 작은 희망가가 되리라 상상한다. 행복한 인생이길 소망한다. 희망은 삶에서 보약 같은 존재이다. 성찰하고 행복해지는 세상을 그려본다. 꿈과 목표를 세우고 지내는 삶이다. 꿈을 이루어야 만족하는 삶이 아니라, 매일 매일 행복한 삶이 되는 행복 지수를 높이는 인생이다. 이제는 인생을 살아간다면 조금 더 현명한 삶을 살아갈 수 있을 것이다.

2부

앎을 위한 재테크

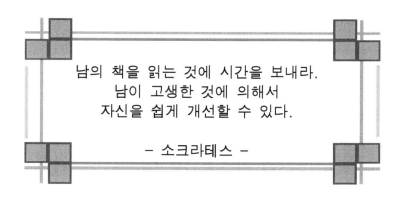

남의 책을 읽는 것에 시간을 보내라.
남이 고생한 것에 의해서
자신을 쉽게 개선할 수 있다.

- 소크라테스 -

2부. 새로운 앎을 위한 지테크

새로운 앎을 위한 지테크다. 지테크는 다양한 의미를 포함하고 있다. 지테크를 한자로 바꿔 언급하고자 한다. 지테크란 한자 '지'와 영어 'Technology'의 합성어인 '지＋테크놀로지'의 줄임말이다. 지테크의 지는 지(志)테크이고, 지(知)테크이며, 지(智)테크이다.

지테크는 삶의 목표와 지식, 지혜를 말한다. 삶은 앎을 위한 여정이고, 앎을 실천하는 것이다. 무엇을 실천하며 사는 건 다 다르다. 일단 꿈을 갖는 것이다. 그리고 공부이다.
공부는 인생에서 중요하다. 요즘 사회에는 학벌과 상관없이 크게 성공하는 사람도 많다. 그래서 사회생활을 오래 하다 보면 학벌은 크게 중요하지 않게 된다.

늘 배우는 사람이 지식인이고, 평생 공부하는 사람이 지혜로운 삶을 사는 것이다. 배우고 익히며 실천하는 삶이다. 공부는 시작하려는 마음과 실천이 무한한 가능성을 준다. 배움에 중요한 것은 꾸준함과 노력이다. 인생은 평생 공부하는 삶이다. 공부는 바로 지테크이다.

『10대에게 알려주는 공부의 정석』 도서의 내용이다.

공부(工夫)는 무언가를 학습하는 것을 말한다. 학습은 배우고 익히는 것이다. 공부하는 과정에서 고통 없이 얻어지는 것은 없다. 공부는 그만한 노력이 필요하고 노력 없이는 좋은 성과를 기대할 수 없다. 4차 산업혁명 시대는 평생 학습하는 시대이다. 누구나 평생 꾸준하게 해야 하는 것이 공부다.

공부는 앎의 과정이요 삶의 방법을 터득하는 지혜로운 행동이다. 공부는 시작하기 힘들고 꾸준하게 하기는 더욱 어렵다. 공부는 나 자신과 경쟁이고 꾸준한 습관이 제일이다. 내 미래는 내가 잘하고 좋아하는 것을 선택하고 바꿔 나갈 수 있다.

율곡 이이는 "공부란 늦춰서도 안 되고 성급해서도 안 되며 죽은 뒤에나 끝나는 것이다."라고 했다. 과거나 현재나 미래에도 공부는 평생 꾸준히 해 나가는 것이다. 공부는 성실함이 요구되며, 공부의 성과는 느리게 나타나는 편이다. 평생 해야만 하는 공부다.

학교 시험공부는 앎의 공부이고, 삶은 세상 공부다. 평생 앎을 실천하는 삶이 인생 공부다. 진짜 공부는 세상에 이바지하는 공부다. 배움을 실천하는 행함이 성찰하는 공부다. 삶에서 얻는 진짜 공부는 깨달음의 공부다.

공부는 직업 선택에서 중요한 사항이다. 전문적인 공부는 전문가 되는 길이다. 고등학교에서 대학으로 가는 길이 전문 분야 공부와 전문직업 내용을 배우는 과정이다. 대학 공부가 학문을 갈고닦는 전문가 되는 공부다. 직업을 선택하는 데 기본이 된다. 물론 전공과 관련해서 직업을 선택하기도 한다, 전공을 살려 직업에 종사하는 사람은 일부다. 평생 공부하는 삶이다. 직업은 생계를 유지하며, 사회에 이바지한다. 또한 세상에 이바지하며 자아실현의 삶이다.

도서 『세상은 넓고 할 일은 많다, 김우중』에는 청춘에게 알려주는 좋은 글이 많다. 인생에서 다양한 경험을 한 내용을 젊은이에게 전하는 말이다.

사람의 능력은 무한하다. 꿈을 가지고 세상을 보라는 내용이다. 내게 잠재된 능력을 끄집어내어 땀과 노력을 쏟는다면 할 수 있다는 글이다. 고난과 역경은 성공으로 가는 디딤돌임을 강조한다. 청춘은 한 번뿐이지만 삶도 한 번이다. "젊어서 고생은 사서라도 한다"라는 말이 있다. 나이 먹으면서 쌓은 세상사 경험이 경력이 된다. 경험이 인생의 스승이 되는 진리임을 강조한다. 또한 살아 보니 "세상에는 공짜는 없다"라는 말이 삶의 정석에 가깝다.

지테크의 모든 것

　지혜로운 지테크는 배우고 익히는 지테크로 3가지로 제시
한다. 지테크는 지(志)테크, 지(知)테크, 지(智)테크 이다.
　지테크는 큰 꿈을 갖고 목표를 세우는 일이다. 내 전문성
함양이다. 공부하고 책을 읽는 방법과 비결은 제시한다.

　재테크는 지테크다.
　내 꿈을 펼치기 위한 지(志)테크,
　새로운 앎을 위한 배우고 익히는 지(知)테크,
　지혜로운 삶을 위한 지(智)테크이다.

　　　　재테크는
　　　　지(志)테크이고,
　　　　지(知)테크이며,
　　　　지(智)테크이다.

뜻을 바로 세우는 지(志)테크

지테크의 지는 한자의 '뜻지(志)'이다. 어떤 뜻을 의미한다. 이 의미는 내 마음의 꿈과 목표이고 희망이다.

My Dream이다. Dreams come true! 꿈과 희망이다. 꿈을 꾸고 그 꿈을 향해 도전하고 성취하고자 하기는 희망이다. 하고자 하는 생각이 우선이고, 뜻을 세우면 실천이 중요하다. 지(志)테크의 출발이다.

지(志)테크는 내 꿈을 위한 일이다. 꿈과 목표를 가지고 사는 삶이다. 꿈과 목표를 가지자는 의미다. 의지, 뜻, 꿈의 의미는 곧 공부의 의미다. 지(志)테크는 뜻을 두는 일, 꿈을 갖는 일이 있다면 세상이 다르게 보인다. 누구든지 꿈을 꾸는지에 따라 자신이 변화하게 된다.

나는 누구인가?
나는 무엇을 하고 싶은가?
나는 어떤 사람이 되고 싶은가?

테레사 수녀는 "생각을 조심하라, 생각은 말이 된다. 말을 조심하라, 말은 행동이 된다. 행동을 조심하라, 행동은 습관이 된다. 습관을 조심하라, 습관은 인격이 된다. 인격을 조심하라, 인격은 운명이 된다."라고 했다. 생각이 곧 뜻이다. 뜻을 두고 실천하는 게 습관이 되면 내 운명을 좌우한다는 의미다. 생각하는 게 우선이고, 생각만 하고 실천하지 않으면 생각으로 그친다. 따라서 생각을 실천하게 중요하다.

지테크의 첫 출발을 생각하는 일이다. 어떻게 할까는 궁리하면 된다. 할 수 있다고 생각하고, "하면 된다"라는 실천 의지를 갖는 일이다. 인생에 뜻을 세우는데 시간이 정해진 게 아니다. 지금 뜻을 세우고 행동으로 옮기면 된다. 인생의 삶의 순간순간을 후회 없이 성실하고 정직하게 살고 열심히 살면 되는 일이다. 이런 삶이 잘 사는 삶이다.

처음 시작할 때 제일 중요한 것은 먼저 뜻을 세우는 것이다. 내가 미래 나아갈 인생 방향과 삶의 꿈과 목표다.
인생이란 꿈을 이루기 위해 노력하는 과정이다. 내 인생을 멋지고 값지고 아름답게 사는 길은 열심히 노력하며 살아야 한다. 지금이야말로 지테크 할 때이다. 지테크는 지(志)테크다.

꿈을 갖는 일은 나 자신을 위한 일이다. 세상에 공헌하는 일이라면 더욱 좋다. 내가 하고 싶은 일을 하는 게 꿈이고 뜻이다. 잘하는 일을 찾고 좋아하는 일을 하는 게 내 뜻이다.

내 인생 내가 사는 삶이다. 내 꿈을 꾸는 게 우선이다. 내가 의지를 다지고 뜻을 이루는 게 진정 만족하는 삶이다. 그렇지만 뜻대로 되지 않는 게 인생이다. 뜻을 두고 노력하며 인내하고 기다리는 게 고진감래이다.

"하늘은 스스로 돕는 자를 돕는다"라고 했다. 세상사 누구에게 운도 따른다. 운은 노력하는 자에게 다가온다. 행운이다. 운을 거꾸로 하면 공이다. 공을 쌓는 일이 내 삶이다. 공을 세우면 반드시 운이 따른다. 인생 지내보니 기회는 널려 있다. 기회는 우연이 다가온다. 준비하고 노력하는 자는 그 기회를 잡을 수 있다.

2부. 앎을 위한 지(知)테크

배우고 익히는 지(知)테크

지테크의 지는 한자의 '알지(知)'이다. 어떤 것을 안다는 의미다. 이 의미는 안다는 것으로 어떠한 것을 이해할 수 있거나 그에 대한 지식이 있다는 것을 의미한다. 지식을 터득하는 일이다. 한마디로 말하면 앎이다.

논어(論語)의 『학이편(學而篇)』에 있는 공자(孔子)의 말씀이다.

자왈(子曰), 학이시습지 불역열호(學而時習之 不亦說乎).

"배우고 때맞춰 그것을 익힌다면, 또한 기쁘지 아니한가?"의 의미로 해석된다. 이 유명한 문장에서 궁금한 게 있다. 공자는 어떻게 공부하였기에 공부를 통해 괴로움이 아니라 기쁨을 얻은 것일까? 공부는 무엇을 하는 것일까?

공자께서 2,500여 년 전에 삶을 돌아보며 세상을 위한 말씀이라고 전해진다. 지금도 이 말은 참으로 좋은 말이다. 배운다는 것은 공부하는 것이요, 이는 교육을 말한다. 교육을 통해 더욱더 나은 인간으로 성장할 수 있다는 것이다. 배움은 적절한 시기에 시작해야 하는 것이 지(知)테크다.

공부가 즐거워야 한다. 어떻게 공부가 재미있을 수 있냐고 이야기하는 사람도 있을 것이다. 하지만 자신이 좋아하는 공부를 하면 얼마든지 재미있을 수 있다. 자신의 재능과 소질을 파악하고 관심 있는 것을 배우면 시간 가는 줄 모르고 즐겁다. 공부가 재미있으려면 배운 것을 자꾸 해 보고 싶어야 한다. 공부를 게임처럼 하면 된다. 게임만이 재미있는 게 아니라 공부도 재미있다.

"사람은 책을 만들고, 책은 사람을 만든다"라는 유명한 글이 있다. 이는 교보문고 창립자 故 신용호 회장의 명언이다. 이는 책을 읽으면 생각하는 사람이 되고, 생각하면 옳고 그름을 판단하게 된다는 의미로 해석한다. 생각이 짧은 사람과 생각이 깊은 사람의 차이다. 생각하는 사람, 바로 책을 읽는 사람이다. 책은 생각하는 사람으로 만드는 지름길이다. 그리고 생각하는 사람은 자신의 미래를 바꾸어 나가는 사람이 되는 것이다. 책을 읽는 자 미래가 보인다.

Leader is Reader

"남아수독 오거서(男兒須讀 五車書)"란 말이 있다. 남자는 모름지기 다섯 수레 분량의 책을 읽어야 한다는 독서의 양에 대한 지침을 알려주고 있다. 책이란 남녀노소 읽고 또 읽으면 지식과 지혜가 쌓인다.

안중근의 독서에 관한 유명한 말이다.

일일부독서 구중생형극(一日不讀書 口中生荊棘)

하루라도 책을 읽지 않으면 입안에 가시가 돋는다. 이는 하루라도 책을 읽어야만 죽지 않는다는 의미다. 입 안에 가시가 돋는다면 음식물을 삼킬 수 없게 되며 죽는다. 책은 음식이라는 뜻이다. 매일 밥과 음식을 먹고 신체가 자라듯이, 책을 읽고 정신이 마음이 자란다는 의미다. 독서는 마음의 양식이 되는 것이다. 자기 일에서 전문성을 발휘하는 것이다. 공부해야 실력이 향상되고 전문성도 향상도며 자기 몸값이 올라간다. 책을 읽는다고 전부 다 부자가 되는 것은 아니지만, 부자는 책을 많이 읽는다. 이유는 단 하나. 책 속에 길이 있기 때문이다. 무슨 길이냐고 묻지 말고 길은 스스로 찾는 것이다. 내 미래가치는 자기 계발이다. 능력을 쌓는 일 전문성이다.

《옹야편(雍也篇)》에 있는
  "知之者 不如 好之者요, 好之者 不如 樂之者니라.
      지지자 불여 호지자, 호지자 불여 낙지자.

이는 아는 것은 좋아하는 것만 못하고, 좋아하는 것은 즐기는 것만 못하다.라는 의미다. 사회 변화에 따라 다르게 해석하지만, 배우기를 즐기라는 의미다. 배우고 익히면 이 또한 기쁘지 아니하냐는 의미다.

남이 좋아하는 일이라고 다 좋은 것이 아니다. 내가 좋아하고 즐거운 일을 찾는 것이 성공의 첫걸음이다. 사람이 성공하려면 좋아하는 것을 해야 한다. 아무리 좋은 일도 자기가 좋아하지 않는 일은 성공하기 어렵다. 성공한 사람들 대부분은 배우는 것을 즐기는 자이다.

공자는 ˝옥불탁 불성기(玉不琢不成器)요, 인불학 부지도(人不學不知道)˝라 했다. 아무리 좋은 옥돌도 석공이 쪼아 내고 다듬어야 옥그릇이 된다. 사람의 천성이 착해도 공부하지 않으면 사람 되는 도를 알 수 없다. 도를 알기도 어렵지만 아는 것만으로는 부족하다. 아는 게 지식이다. 부족한 것을 채우려고 애쓰고 공부는 실력이 점점 쌓인다.

공부는 습관이다. 인생을 즐기라는 의미도 있지만, 학교에서 배우는 것이 사회에 도움이 된다면 이게 지테크이다. 사회의 문제를 해결하는 데 도움이 되게 지테크이다. 무엇인가 앎은 삶이요, 삶은 행함이 제일이다. 성공한 사람들일수록 지(知)테크를 한 사람들이 많다. 공부는 평생 갈고 닦는 일이다. 평생 공부해야 하는 시대이다. 100세 시대는 요람에서 무덤까지 공부하는 삶이다. 오늘날 평생 학습의 중요성은 더욱 강조되고 있다.

인생 자체가 배움이요 도전이고, 배워서 남 주는 삶이다. 배우는 사람은 언제나 청춘이다. 누구나 기회는 있다. 하고 싶은 일에 도전하는 삶은 아름답다. 지금부터 시작이다.

재산을 불린다고 알아보지도 않고 다른 사람들의 말에 현혹되어 쉽게 투자하는 분도 있다. 특히 다단계, 즉 네트워크 마케팅으로 손쉽게 빠르게 돈 벌려고 하다가 사기를 당하는 일도 있다. 투자하는 것은 신중하게 알아보고 또 알아보고 해야 한다. 무자본 무점포 투자도 마찬가지다. 직접 찾아가 보고 확인해야 한다. 성공하려면 성공한 사람이 잘 안다지만 잘 알려주지 않는 게 돈을 버는 방법이다. 따라서 쉽게 돈을 벌려다가 쉽게 돈을 잊어버리는 낭패를 겪지 않기를 바란다.

돈을 버는 공부를 제대로 해야 한다. 일단 적은 돈이라도 벌어야 한다. 작은 돈의 소중함을 알아야 한다. 돈을 벌어봐야 돈의 소중함을 안다. 돈을 아끼고, 돈을 모으고, 돈을 불리고, 돈을 굴리는 것이다. 돈 공부의 핵심은 티끌 모아 태산을 이룬다는 것을 실감해야 한다. 이를 알고 실천하는 게 지혜로운 일이고 지(知)테크의 시작이다.

공부(工夫) 제대로 하자

공부란 무엇인가?

공부 왜 하지?

공부의 목적은 무엇인가?

어릴 때 공부는?

모르니까 알려고 공부한다. 호기심과 궁금증이다.

학창 시절 공부는?

상급학교 진학하려고 공부한다. 현재 하는 시험공부다.

커가면서 공부는?

직업을 선택하려고 공부한다. 생계유지를 위한 공부다.

지금의 공부는?

전문지식과 기술을 쌓으려고 공부한다.

이제부터 공부는?

정신적인 공부다. 인생 공부이다. 세상 공부이다.

사회 기여와 자아실현의 공부다.

오늘날 공부 목적은 단순하다. 학생들은 초·중·고등학교에서 대학에 진학하려고 공부한다. 진정한 공부는 이제 시작이다. 학생들이 학교만 다녀서 자기 계발을 할 수 있는 환경이 아니다. 학교는 학생의 능력 발휘를 바라며 교육을 제공하지만, 부족한 게 많은 곳이다.

직업을 선택하려고 취직 시험을 통과하기 위해 익히는 공부도 중요하다. 생계유지는 필수적인 삶이다. 삶에 관한 공부, 세상 공부의 시작이다. 세상 공부는 금융 공부, 인생 공부, 노후를 위한 공부….

공부하는 것이 기쁜 일인가?

벤저민 프랭클린은 "지식에 대한 투자는 최고의 보상을 가져다줄 것이다."라고 했다. "지식은 곧 힘이다."라고 프란시스 베이컨은 말했다. 세상 모든 일이 공부다. 공부는 학문이나 기술을 배우고 익히는 일이다. 공부는 평생 하는 업이다. 무엇이든 잘 배우는 게 공부 잘하는 사람이다. 공부하는 자는 잘 배우는 사람이다. 공부는 생각하는 힘을 기르는 사고력이 필요로 한다. 창의력과 문제 해결 능력, 자기 관리능력, 체력도 필요하다. 이런 능력을 갖춘 자가 실력 있는 미래 인재이다. 배우는 자가 이런 사실을 모르고 시험 성적만을 생각한다면 문제이다. 시험 성적이 아니라 성장하는 능력이 중요하다.

내가 무엇이든 잘하기 위해선 공부하는 것이다. 뭘 하든 마찬가지다. 공부가 재미없다는 사람은 하고 싶은 게 없는 것이다. 재미있는 것, 좋아하는 것, 잘하는 것을 찾는 게 진정한 공부다. 타고난 소질과 재능이 다 있는데 꼭꼭 숨길 필요가 없다. 빨리빨리 찾는 게 내 공부다. 세상을 향하는 인생 공부가 진짜 공부이다. 내 능력을 사회에 기여하고, 자아 실현하는 게 진짜 공부다.

"세상은 아는 만큼 보인다"라고 하지 않던가. 평생교육이 중요한 시대이다. 지금까지 배운 지식도 중요하다. 세상을 지혜롭게 살려면 더욱 배워야 한다. 미래를 위해 새로운 것을 평생 배우는 마음가짐이 중요하다. 내 능력을 펼치려면 실력이 있어야 하고 실력은 능력이다. 능력은 경력이고 경험이 쌓여야 한다. 고되고 힘들일 역경을 참아내고 견디면 경력이 된다. 이도 한 다 지나가리. 기다리고 인내하면 자신의 내공이 쌓인다. 내 역량과 능력이 충분하면 자신감이고 자랑스러움이다.

찰스 다윈은 "가장 강한 종이나 가장 똑똑한 종이 살아남은 것은 아니다. 변화에 가장 잘 적응하는 종이 살아남게 되는 것이다."라고 했다. 지금부터 변화에 대해 준비해야 한다. 살아남으려면 꾸준하게 공부해야 한다. 지식과 능력은 중요하다.

내 인생은 세상에 이바지하는 삶이다. 내 인생 행복해지려면 내 뜻대로 사는 삶이다. 즐겁고 재미있는 삶을 사는 것이다. Do it now, Just do it!

자기 내 능력은 자신에 대한 가치이다. 인생 생각보다 길다. 청소년기 시절은 지나고 보면 잠깐이다. 청년 장년 노년의 삶이 기다린다. 100세 시대 나에게 투자하는 게 가장 좋은 재테크이다. 평생 공부하는 자세와 능력이 지(智)테크다. 공부가 지테크이다. 지금 다시 공부하는 게 재(再)테크이다. 내 역량과 능력이 쌓이면 기회도 많다. 자신의 가치가 소득의 증가요 가치 있는 자산이고 능력이다. 내 능력이고, 자아실현의 삶이다. 따라서 재테크는 지(知)테크이다.

아는 게 힘이다. 알아야 한다. 알려면 공부해야 한다. 공부해서 얻은 지식은 내 삶의 자본이고 씨앗이다. 지식은 지혜가되고, 지테크야말로 가장 좋은 재테크이다. 지(知)테크 한 씨앗이 자라야 큰 수확을 얻을 수 있는 게 내 삶이고 재테크의모든 것이다.

인생은 지(智)테크이다

어떻게 사는 것이 잘사는 길인가?

나를 행복하게 하는 것은 무엇인가?

세상사를 누군 다 행복하게 살기를 원한다. 또한 누구나 잘 살기 원하며 세상을 살아간다. 삶의 목적은 다 다르다. 행복 해지고 싶으면 내가 하고 싶은 거 하는 일이다. 내가 정말 하고 싶은 일을 하는 게 즐거움이고, 만족하는 일이고, 나를 행복하게 만드는 일이다. 지혜(智慧/知慧) 또는 슬기는 이치를 빨리 깨치고 사물을 정확하게 처리하는 전인적 능력이다. 지식에 의해서 얻을 수 있는 것이라는 의미에서 발전하여, 지금은 주로 사리를 분별하며 적절히 처리하는 능력을 가리킨다.

논어(論語) 위정편(爲政篇)의 문장이다.

"삼인행필유아사(三人行必有我師)"

세 사람이 길을 가면 반드시 스승으로 받들 만한 사람이 있다는 뜻이다. 일상의 주변에서 배우는 삶이다. 가정, 학교 사회에서 모르는 것을 부끄러워하지 않고 애써 배우려는 자세를 강조한 말이다. 배우는 것을 즐기는 게 지테크의 정석이다.

지혜롭게 산다는 것은 무엇인가?

베이컨의 명언이다.
　　"아는 것이 힘이다. (Knowledge is Power)"

　무엇을 안다는 것은 무엇을 행하는 힘이 있다는 것이다. 자기 자신을 자신이 잘 안다. 남과 비교하지 않는 삶이다. 모르면 배우면 된다. 아는 만큼 세상은 보인다. 아는 게 힘라는 것은 지식의 가치이다. 공부해야 함을 강조한다. 학문이나 기술적인 능력을 얻게 된다는 것이 힘이고 능력으로 인정되는 게 오늘날의 학력(學歷)과 관계가 깊다고 할 수 있다. 그러나 학력(學歷)보다는 학력(學力)이 더욱더 중요한 시대이다. 식자우환(識字憂患)이라는 말이 있다. 이는 아는 것이 도리어 근심이나 걱정을 사게 된다는 말이다. 이는 무지(無知)와는 다르다. 내가 알고 있다는 착각하지 말고 알지 못하면 모르는 것이다.

　시대는 변하고 사회 변화는 더욱 빠르다. 평생 학습 시대는 공부한 이력이 아니라, 배우는 삶이 중요하다. 나이와 상관없이 평생 배움을 즐기는 일이다. 생활의 지혜는 경험으로 터득하겠지만, 배움에는 남녀노소도 없고, 배우는 시기가 정해져 있지 않다. 지금부터 시작이다.

예전부터 지혜로움은 하나의 덕목으로써 평가되었다. 논어의 기본 원칙은 인의예지신(仁義禮智信)이다. 사람을 사랑하는 것과 정의, 예의, 지혜, 믿음이다. 지(智)가 바로 지혜로움을 뜻한다. 옳고 그름을 가리는 마음이다. 지금 해야 할 것을 하는 게 지혜로운 삶이다. 지식을 얻고 지혜로운 삶이다. 내 행복을 위하고 타인의 행복을 위한다면 특별함이고 탁월함이며 위대함이다. 지혜는 효과적이고 효율적으로 지각과 지식을 적용하므로 원하는 결과를 생성하는 능력이며 많은 사람이 이해할 수 있는 근거가 있어야 한다. 그러기 위해서는 자신의 감정을 잘 조절할 수 있어야 한다. 또한 공공의 이익과 평화를 가져올 수 있어야 진정한 지혜로운 행동이라고 할 수 있다. 비슷한 의미가 있는 단어로는 현명함, 슬기로움, 통찰력 등이 있다. 3)

인생에서 지혜로운 삶이 무엇인지 정답은 모른다. 삶에서 지혜로움을 깨닫는 게 지(智)테크이다.

---

3) 위키백과 지혜
   https://ko.wikipedia.org/wiki/지혜

2부. 앎을 위한 지(知)테크

행복을 위한 재테크

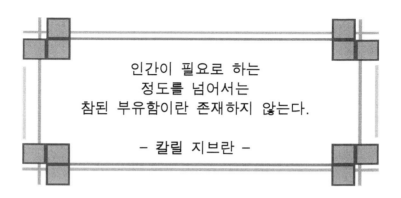

인간이 필요로 하는
정도를 넘어서는
참된 부유함이란 존재하지 않는다.

– 칼릴 지브란 –

3부. 행복한 삶을 위한 재테크

행복한 삶을 위한 재테크를 3가지로 제시한다. 재테크는 다양한 의미를 포함하고 있다. 재테크란 한자 '재'와 영어 'Technology'의 합성어인 '재 테크놀로지'의 줄임말이다. 재테크의 재테크는 (才)테크이고, 재(財)테크이며, 재(再)테크이다.

재테크는
　　　즐거운 삶을 위한 재(才)테크
　　　꿈꾸는 삶을 위한 재(財)테크
　　　행복한 삶을 위한 재(再)테크이다.

재테크는 꿈꾸는 삶을 준비하기 위한 재테크이며, 내 전문성 함양을 위하여 빨리 시작해야 하는 것이 재테크다. 재테크라는 용어에 관심을 가지고 관련 서적 한두 권 정도는 읽었을 것이다. 알면 실천하려는 의지와 새로운 재테크 전략이 필요하다. 재테크는 당장 할 과제이다. 다만 서두르지 말고 step by step이다. 이 모든 게 행복한 삶을 위한 과정이다. 재테크는 각자 나름대로 형편에 맞는 전략이 요구되고 있다.

즐거운 삶을 위한 재(才)테크

재(才)테크란 무엇인가?

재테크는 재(才)테크이다. 여기에서 재테크의 의미는 간단하다. 재(才)테크를 재주나 재능을 가진 의미로 바꿔 언급하고자 한다. 이는 내가 가진 고유한 재능이다. 재능을 발견하고 계발한다는 의미의 재테크다. 누구나 재능을 지니며 타고난다. 일찍 발휘된다면 좋은 일이지만 내 재능을 찾아주는 스승을 만난다면 행운이다. 일단 내가 지금 배우고 익히는 일에 최선을 다하는 일이다. 직업을 가졌다면 지금 하는 일에 최선을 다하는 것이다.

프로와 포로의 차이점은 다 알 것이다. 직장에서 받는 만큼 일을 한다면 포로나 마찬가지다. 맡은 일에 최선을 다하는 게 프로이다. 하는 일이 즐거우면 프로이고, 내 일이 괴로우면 포로 인생이다. 항상 배우며 생각하고 실천하는 사람이 프로이다. 항상 새로운 일을 찾아서 모험과 실패를 즐기는 자다. 도전하는 프로의식을 가지고 인생을 살아가는 자는 진정한 프로이다. 재테크는 프로의식을 갖는 삶이다.

내 재능이 무엇인가?

누구나 타고난 재능은 있다. 이를 빨리 찾아내는 게 자신이
다. 흥미와 재미를 느끼는 분야다. 잘하는 것이나 좋아하는
것이다. 재능과 소질을 계발하는 게 꿈을 펼치는 기회이다.

나에겐 남다른 재능이 있다. 한가지 또는 무엇이든지 남보
다 잘하는 다른 능력을 계발하는 일이다. 남보다 잘하고 전보
다 잘하는 것을 능력을 키우는 게 재능이다. 내 재능을 우선
순위로 두고 꾸준한 노력으로 목표를 정하고 실천하는 일이
다. 남을 이기는 게 아니라 자기 자신과 경쟁에서 이기는 것
이다. 남과 다른 능력이 자신감이다. 내가 잘할 수 있는 한
가지 일에 최고가 되도록 노력하는 것이다. 취미나 특기는 갈
고 닦는다면 그 분야에 뛰어나게 잘 할 수 있다. 호기심과 관
심을 두고 재미를 느끼며 흥미가 있으면 성장하게 된다. 매우
의미 있는 재능이 된다. 취미가 재미를 넘어 의미 있는 일은
가치 있는 일이며 덕후 되는 지름길이다.

재능이란 다른 사람에게만 있다고 생각 마라. 누구나 가지
고 태어난다. 끼나 재능은 공부해서 갈고 닦을 수 있다. 지적
전문가이다. 학교 공부를 꾸준하게 하며 최고의 경지에 이르
는 숙련된 전문가다.

3부. 행복한 삶을 위한 재테크

생활의 달인이나 무형문화재로 선정된 분들은 최고의 경지에 이른 사람들이다. 범접할 수 없는 뛰어난 장인이다. 이런 능력을 배우려면 수십 년이 걸리기도 한다. 스승과 만나 직접 배우는 도제의 교육이 필요하다. 이런 게 뛰어난 재능이다. 처음부터 잘하는 사람은 없다. 배우고 익히는 게 재능이고 전문가다. 예를 들면 바둑이나 게임, 노래를 잘하거나 악기 다루는 일 모든 게 재능이다. 운동이나 악기 다루는 일도 마찬가지다. 모방하고 따라 하며 배우는 재주이다. 재능은 1만 시간 법칙이 정석이고 정성이 쌓여야 한다.

내 능력으로 직업을 선택해서 사는 삶이다. 세상 모든 분야에 종사하는 누구나 다 전문가다. 직업은 생활인이고 생활인은 재능으로 세상에 이바지하며 사는 삶이다.

살맛 나는 세상은 최선을 다하는 삶이다. 더욱 성숙해지며, 어제보다 나은 성장에 힘쓰는 것이 빛을 발하는 삶이다.

1만 시간의 법칙

에디슨은 "천재는 99%의 노력과 1%의 영감으로 이뤄진다"라는 명언을 남겼다. 1만 시간 법칙은 연습과 훈련이 필요한 분야가 있다. 운동선수나 악기를 다루는 분야는 꾸준한 노력이 요구된다. 물론 타고난 재능이 있을 수 있겠다. 그러나 일반적일 경우에 자신이 어느 분야에 소질과 적성이 뛰어난 능력이 있는지를 모른다. 따라서 도전하는 경험이 필요하다.

1만 시간의 법칙이 유일한 방법은 아니다. 다만 어느 분야든지 꾸준한 노력의 중요성을 강조한다. 목표를 위한 에너지를 집중하는 노력이다. "노력은 배신하지 않는다"를 믿는다.

1만 시간은 매일 3시간씩 한다면 약 10년, 하루 10시간씩 노력하면 3년이 걸린다. 타고난 재능과는 다른 게 있다.

좋아하는 일, 잘하고 싶은 일을 꾸준히 연습하면 목표를 달성할 수 있다고 한다. 꾸준하게 반복하고 연습하는 습관으로 전문가 된다. 모든 게 일치하는 것은 아니지만 무한반복 연습과 훈련은 중요하다. 성공의 비밀은 끊임없는 연습이다.

내 재능은 어떻게 발전시킬까?

　자신을 아는 능력이 필요하다. 무엇을 잘하는지 못하는지를 아는 것이다. 무엇을 위해 노력을 해야 할까. 모르면 배우는 게 제일 가치 있는 일이다. 어디에 써먹으려고 배우기도 하지만 모르면 답답하다. 부족한 부분을 공부하면 내 재능이 향상된다. 내 인생 특기나 재능을 발전할 수 있는 지름길이다. 어떤 분야의 전문가가 되기 위해서는 최소한 1만 시간의 훈련이 필요하다는 법칙이다. 매일 반복하는 연습을 꾸준하게 노력하면 성취한다는 노력의 중요성을 강조할 때 사용하는 말이다.

　모파상은 "재능이란 지속할 수 있는 열정이다"라고 했다. 취미로 시작했다가 그 분야의 대가로 성공하는 예도 많다. 재주는 타고난다면 감사한 일이다. 재주는 덕이고 겸손이다. 재주가 덕을 넘지 말라는 말이 있다. 인성이다. 어제보다 더 나은 기량을 위해 노력하고 꾸준하게 훈련한다. 재주가 빛을 발하려면 운도 따른다. Pay the price이다. 이게 재능이고 재(才)테크다. 특히 음악, 미술, 운동 예술과 기술 부분이 1만 시간 법칙의 결과이다. 자신의 자랑이며 겸손한 삶이다. 공부도 마찬가지다. 초·중·고·대학에서 배우는 공부는 한 분야의 전문가로 인정받는다.

재주는 기쁨이고 보람과 만족을 주는 일이다. 직업으로 선택해서 하고 싶은 일 잘하는 일을 한다면 행복한 인생이다.

 돈을 버는 일은 노동이냐 즐거운 일이냐의 문제가 아니라 특기 재능이 직업 돈 버는 일이 행복이다. 개인의 재주는 기쁨이고 보람과 만족을 준다. 일과 직업에서 잘하는 걸 즐기는 삶 인생은 아름답고 행복하다. 하고 싶은 일을 하는 인생은 돈도 벌고 특기를 살려 세상에 이름을 떨치며 이바지하는 것은 행복한 삶이다.

나다움은 덕후의 삶이다

우리 민족은 손재주가 좋다. 전 세계 지능지수(IQ) 테스트에서 한국이 상위권을 차지했고 1~5위까지가 젓가락을 사용하는 아시아 국가에서 배출됐다. 젓가락을 자주 사용하면 뇌능력 상승에 도움이 된다는 연구 결과다. 손 근육을 많이 사용하는 젓가락질이 섬세함, 근력 조절 등을 길러주며, 이것이 뇌 운동으로 이어져서 뇌의 성장을 촉진해 준다는 원리다. 동북 아시아권 민족들이 머리가 좋은 이유도 젓가락질 덕분이라는 말도 있다. 젓가락은 한국, 중국, 일본을 중심으로 하는 동아시아권에서만 사용한다. 그러나 우리나라 국민같이 젓가락을 잘 사용할 줄 모른다. 우리는 쇠젓가락으로도 콩자반을 집을 수 있는 능력을 갖추고 있는 국민이기에 손재주가 대단하다. 4)

우리가 식사에 사용하는 쇠젓가락에 대한 자화자찬이 대단하다. 포크를 쓰는 민족보다 젓가락을 사용하는 민족이 머리가 좋다는 속설이 있다. 오늘날 최첨단 기기의 개발에 이르기까지 우리 국민은 모방과 창조에 적합한 솜씨 좋은 손을 갖고 있다.

---

4) 나무위키 젓가락
   https://namu.wiki/w/젓가락

나이가 어릴수록 자신의 가치를 높이는 재능에 집중해야 한다. 스스로 재능 키우는 것에 집중할 필요가 있다. 예를 들면 운동이나 악기 다루는 일이다. 하루 이틀 걸리는 게 아니다 꾸준한 아니 수십 년 걸리기도 한다. 그림을 그리는 것도 마찬가지다. 취미가 업이 되려면 적어도 하루 1시간씩 10년 동안은 공부해야 한다. 내가 흥미를 느끼는 주제를 잡아 집중적으로 파고들어야 한다. 취미가 흥미나 적성을 발전시킬 방법을 미리 찾고, 꾸준히 시간을 들여 준비해야 한다. 흥미 있는 게 의미 있는 일이 재(才)테크다.

이 세상 모든 게 재능으로 먹고사는 일이다. 공부도 재능이다. 학교에서 배워 재능을 익히고 하지만 타고난 재능도 있겠다. 이는 일부이기에 언급하지 않는다. 일반적으로 재능은 스스로 배우고 익히는 사람들이 매우 많다. 기회를 기다리는 사람이 되기 전에 기회를 얻을 수 있는 실력을 갖춰야 한다.

운동도 신체적인 조건을 극복한 사랑도 많다. 모든 게 재능이다. 갈고닦은 재주는 시간이 지남에 따라 다르다. 어릴수록 빨리 시작해야 하는 것이 재(才)테크다. 재테크의 기본은 자신의 재능과 능력을 키우는 게 우선이다. 재능이 있으면 운도 다르고 행운이 따르며 돈도 자연스럽게 따라오는 것이다. 재테크는 재(才)테크가 우선이다.

재테크의 핵심은 자기 계발이다

재(才)테크의 핵심은 자기 계발이다. 직장인의 샐러던트는 평생교육과 비슷하다. 직장인의 자기 계발이다. 일반적인 공부로 소득을 늘리기 위해서는 몸값을 높이는 것이 중요하다.

학교를 졸업하고 회사에 취직해도 지속적인 자기 계발을 해야 한다. 직장인의 자기 계발은 능력이다. 승진을 싫어하는 삶 있으면 나와봐라. 누군가는 직장에서 탈출하여 자영을 꿈꾸는 일도 있다. 이는 창업하거나 영업의 재능이 있어야 한다.

샐러던트(saladent)시대다. 샐러던트는 봉급생활자를 뜻하는 샐러리맨(salaryman)과 학생을 뜻하는 스튜던트(student)를 합쳐 만든 신조어다. 공부하는 직장인을 말한다. 평생학습시대에 적합한 인재상이다. 샐러던트는 직장에 다니면서 새로운 분야를 공부하거나, 현재 자신이 종사하는 분야의 전문성을 더욱더 높이기 위해 지속해서 공부하는 사람들을 가리킨다. 세상 사람들은 "강한 자가 살아남는다"라고 하며, "살아남은 자가 강한 자"라고 한다. 어떤 사람은 빠른 자가 살아남는다고 하기도 한다. 요즘 세상에는 배우는 자가 살아남는다. 5)

---

5) 출처 ST 타임즈- 오승건의 소비자 세상 샐러던트시대의 재(才)테크
https://www.srtimes.kr/news/articleView.html?idxno=9494

직장인의 삶은 생존이다. 직업에서 일하기 위해 선택할 수밖에 없는 것이다. 직장에서 만족하고 사는 삶도 있겠지만 사람의 마음은 같지 않다. 직장에선 보상과 더욱더 높은 보수와 명예가 따르기 때문이다.

악기를 다루는 사람은 바로 연습을 많이 한다. 운동선수도 마찬가지다. 재능이 하루아침에 달성되는 게 아니다. 마음만 먹으면 할 수 있는 너무 쉬운 방법이다. 매일 꾸준하게 노력하는 습관이 가장 효과적이다. 한 걸음 한 걸음이 힘차고 충실하면 좋은 성과를 얻는다. 취미나 특기가 덕후 되는 지름길이다. 덕후는 자기만족과 자신의 정체성이고 자기 자신의 가치이다. 유일(Unique)한 존재로 즐겁고 행복한 삶이다. 취미가 특가가 되면 더욱 진가를 발휘한다. 특기는 남다름이고 특기는 자신의 재능이다. 재능이 길러지면 탁월함이다.

무형문화재 기능이나 재주를 이어받는 건 대를 이어야 가능한 일이다. 운동이나 악기 다루기, 음악이나 미술이 그렇다. 모든 재주가 그렇다. 꾸준한 반복과 노력으로 이루어진 결과가 재능이다. 덕후 되는 길은 1등이 아니라 내가 만족하고 내가 행복한 길이다.

재능을 기르는 게 재테크이다. 사진이 취미면 많이 찍게 된다. 그중에 한두 장이 우수한 창작물이고 대단한 작품이 된다. 사진기자가 세상을 관찰하는 이유가 다 있다. 세상에 알리고자 하는 그 무엇을 찾는 것이다.

어린 시절부터 호기심과 상상력이 능력이 된다. 만들기에 특기가 있거나 그리기가 특기가 있으면 그림으로 책으로 출판한다. 그러면 재테크가 된다. 만들기에 취미나 특기는 굿즈 상품으로 발명품으로 상품화된다. 특기가 바로 자기 능력을 단련시키는 일이다. 악기를 다루는 일, 운동하는 일 자신의 재능을 키우는 데는 시간이 오래 걸린다. 결국은 호기심과 관찰이 중요하다. 또한 배우겠다는 자세 끈기와 의지, 오기가 필요하다. 해 보겠다는 패기도 필요하다. 재능을 찾는 데는 도전하는 자세와 끈기를 발휘하는 방법이다. 재능은 오기를 가지고 패기 있게 용기를 내는 일이다. 사기를 충천하는 마음으로 배우는 이 모든 게 재테크이다.

마이크로소프트 창업자 빌 게이츠가 마운틴휘트니 고등학교에서 학생들에게 해준 인생 충고 10가지다.

1. 인생이란 원래 공평하지 못하다.
2. 세상에 너희들한테 기대하는 것은 너 스스로 만족하다고 느끼기 전에 무엇인가를 성취해서 보여줄 것을 기다리고 있다.
3. 대학 교육을 받지 않은 상태에서 연봉 4만 달러가 될 것이라고는 상상하지 마라.
4. 학교 선생님이 까다롭다고 생각하거든 사회에 나와서 직장 상사의 진짜 까다로운 맛을 한번 느껴봐라.
5. 햄버거 가게에서 일하는 것을 수치스럽게 생각하지 마라. 너희 할아버지는 그 일을 기회라고 생각했다.
6. 네 인생을 내가 망치고 있으면서, 부모 탓을 하지 마라.
7. 학교는 승자와 패자를 뚜렷이 가리지 않을지 모른다. 그러나 사회현실은 이와 다르다는 것을 명심해라.
8. 인생은 학기처럼 구분되어 있지도 않고 스스로 알아서 하지 않으면 직장에서는 가르쳐 주지 않는다.
9. TV는 현실이 아니다.
10. 공부밖에 할 줄 모르는 "바보"한테 잘 보여라. 사회에 나온 다음에는 아마 "그 바보" 밑에서 일하게 될지도 모른다.

3부. 행복한 삶을 위한 재테크

어른들은 말한다. 공부 열심히 하라고….

배워야 할 걸 배우면 소질이 계발되는 것이다. 무엇을 배울지 결정하는 건 본인의 선택이다. 누구나 어려서부터 학교 공부를 열심히 한다. 이유는 미래 원하는 삶을 살기 위해서다. 직업을 갖고 안정적인 생활을 하며 소득을 높일 수 있기 때문이다. 운동선수의 재능과 공부의 재능은 같은 의미다. 모든 공부가 재(才)테크의 기본이다. 세상은 모든 직업이 재(才)테크로 시작한다.

모든 것은 자세에 달려있다

누구나 부자가 되면 좋겠다고 생각한다. 부자가 되는 꿈을 꾸지만, 꾸준하게 평생 실천을 하지 않는다. 지금보다 더 나은 소질을 계발하려면 배워야 한다.

언제 어디에서 무엇을 배울까?

생각이 바뀌어야 행동이 바뀌고 내 인생이 바뀐다. 공부는 학문이나 기술 기술을 배우는 것이다. 소질 계발이 공부다. 특기를 쌓는 일이다. 내 소질은 자격이다. 언제 어디에서든지 재능을 배우고자 하는 도전하고 결심하고 실천하는 일이다. 모든 게 마음 먹기에 달려있다. 생각이 바뀌면 그에 따른 행동으로 옮기는 일이다. 지금부터 준비해야 한다.

공자의 글귀에는 '천재불용(天才不用)'이라 하였다.

머리만 좋은 사람은 아무짝에도 소용없다는 의미다. 재주는 많으나 덕이 부족하다는 뜻이다. 즉 아는 것이나 능력은 뛰어나나 인품이 부족한 사람을 가리킬 때 쓰는 말이다. 이는 세상에서 재능보다는 덕을 더 중시한다는 깊은 의미로 해석된다.

경험은 인생의 스승이라고 한다. 젊은 시절의 고생은 장래 발전을 위해 좋은 경험이다. 남은 인생 헤쳐 나가는 데 소중한 자산이다. 젊어서 고생은 사서라도 한다는 예 어른들의 깊은 뜻을 알게 된다. 실패를 통해 고난과 역경을 견딘 사람이 강하다. 깊은 생각을 하게 된다. 고난은 더 강하고, 더 똑똑하고, 더 나은 사람으로 성장하게 한다. 재능이 뛰어나거나 한 분야에 성공한 사람은 이런 고난과 역경을 오히려 기회로 삼아 일어선 사람들이다. 가치 있게 만들어 준다. 경험이 경력이고 능력이 되고 실력이다. 역경을 견디면 경력이 됩니다. 역경은 우리를 깨어나게 한다.

세네카 명언 "어떤 재능 혹은 다른 재능으로 뛰어난 사람이 될 수 있도록 노력하라.", "불은 금을 시험하고, 역경은 강한 인간을 시험한다.", "가장 강한 사람은 스스로를 통제할 수 있는 자이다." "행운이란 준비와 기회를 만났을 때 나타난다."라고 했다. 오랜 시간 세상을 살아 보니 이 모든 것들이 이제야 알게 된다. 운이란 누구에게나 있다. 행운은 복이고 덕이다. 채근담에도 '인간사회에서 덕이 첫째이고 재주가 그다음이다.'라고 했다, 덕을 우선으로 갖추고 재주를 겸비할 때 비로소 훌륭한 인물이 될 수 있다는 의미다. 재는 타고나는 재주를 말하며, 덕은 후천적인 길러지는 자기 수양이기 때문이다. 고난과 역경은 인생 성공과 행복을 이끈다.

살면서 좋은 자세는 바로 아는 것이다. 살면서 잘하는 일 잘 못하는 일이 생긴다. 가장 큰 잘못은 나쁜 것을 잘 알면서 하거나, 실수를 반복하는 것이다. 스스로 반성하는 삶이 바른 자세다. 내가 잘 살아가는 것이 덕을 쌓는 것이며 덕행이다.

사마광의 자치통감에 보면 "재주와 덕을 겸비한 사람을 성인이라 하고, 재주도 덕도 없는 사람을 어리석은 자라 하였으며, 덕이 재주보다 앞서는 사람을 군자라 하고, 재주가 덕을 앞서는 자를 소인"이라 했다. 덕과 재능은 이 세상의 빛나는 보물이다. 한 번뿐인 삶이다. 덕을 쌓는 일은 바른 자세이고, 바른 생활이다. 모든 것은 자세에 달려있다.

꿈꾸는 삶을 위한 재(財)테크

재(財)테크. 여기에서 재테크의 의미는 간단하다. 재테크는 재(財)테크이다. 재테크란 한자 '재'와 영어 'Technology'의 합성어인 '재 테크놀로지'의 줄임말이다. 재테크를 한자로 바꿔 언급하고자 한다. 재테크는 '재무(財務) 테크놀로지(financial technology)'의 준말로 재무 관리의 지식과 기술을 의미한다. 돈을 불리는 기술로 알려졌다. 누구나 부를 열망한다. 돈이 없을수록 빨리 시작해야 하는 것이 재(財)테크다.

부자란 무엇인가?
부의 기준은 무엇인가?
무엇을 어디에 투자할까?

일단 자신에게 투자하는 것이 제일이다. 최선의 투자 방법은 스스로에 투자하는 것이다. 자기 일에 충실하고, 열과 성을 다하며 지낸다. 그러면 자기 분야에서 어느 정도 최고의 결과를 만들어 내는 것이다. 명예를 얻게 되며 성공적인 삶이라 할 수 있다. 부와 명예를 취하는 기본이 된다.

도서 『아기곰의 재테크 불변의 법칙』 아기곰, 아라크네, 2017. 재테크를 공부할 때 재(財)테크의 기본기를 다져주는 책으로 추천한다. 재테크 성공을 위한 12가지 법칙을 다음과 같이 제시했다.

1. 뚜렷하지만 실현 가능한 목표를 세워라.
2. 목표 달성의 즐거움을 만끽하라.
3. 구체적인 수치와 일정으로 비전을 제시하라.
4. 종잣돈을 빨리 만들어라.
5. 자신과 싸워라.
6. 같은 곳을 바라보라.
7. 지출을 줄여라.
8. 재테크는 시간과 함께한다.
9. 돈은 준비된 자의 친구다.
10. 세상에 마술은 없다.
11. 세상은 변한다, 고로 방법론도 변한다.
12. 최선의 재테크는 자신에 대한 투자이다.

3부. 행복한 삶을 위한 재테크

변화에 관한 명언이다. 레오 톨스토이는 "세상의 많은 사람이 세상을 바꿔야 한다고 생각한다. 하지만 아무도 자기 자신을 바꿔야 한다고 생각하지는 않는다"라고 했다.

존 F. 케네디는 "변화는 삶의 법칙이다. 그리고 과거와 현재만 바라보는 사람들은 반드시 미래를 놓치게 될 것이다"라고 했다. 소크라테스는 "변화를 받아들이는 가장 좋은 비결은 낡은 것과 싸우지 말고, 새로운 것을 만드는데 모든 에너지를 집중하는 것이다"라고 했다. 변화는 마음먹고 지금 시작하는 것이다. 현재 하는 일에 최고가 되도록 노력하는 일이다. 변화는 중요하다. 나 자신을 발전하려면 조지 리히텐버그는 "우리가 변한다고 해서 더 나아질 것이라고는 장담할 수 없다. 하지만, 더 나아지기 위해서는 반드시 변화해야 한다."라고 했다. Change is Chance.

직장인의 대부분 소득에는 육체노동을 하는 근로소득을 얻는다. 사업하는 사업가는 사업소득을 얻는다. 이 또한 육체노동과 정신노동이다. 누군가는 자본을 가지고 이자 소득을 얻는다. 돈이 돈을 버는 형태이다. 공무원은 월급쟁이다. 회사원도 마찬가지다. 자영업자는 사업가이지만 이 또한 육체노동에 해당한다. 운동선수, 가수, 작사 작곡자를 생각하게 된다. 중요한 것은 과거의 습관이나 생각을 변화와 함께 가는 것이 중요하다. 더 크게, 더 낫게, 더 가치 있게, 더 효율적으로,

더 강하게 될 수 있다. 직장인, 일반인, 자영업의 재테크는 돈 버는 일, 수입을 늘리는 일이다.

대부분 사람이 빨리 부자가 되려는 마음을 갖고 있다. 이런 마음은 실수나 실패를 가져온다. 삶에서 빨리 부자가 되려는 마음이 생기면 올바른 판단을 할 수가 없다. 재수나 운이 좋아 크게 돈을 벌 수도 있지만, 일반적으로는 아주 드물다. 부자가 되는 방법은 세 가지밖에 없다. 상속을 받거나, 복권에 당첨되거나, 사업에 성공하는 것이다.

무엇을 어떻게 투자할까?

최선의 재테크는 자신에 대한 투자이다. 나 자신에게 투자하라. 신체적인 건강이고 정신적인 건강이다. 자신의 실력과 능력을 가르는 일이다. 실력을 쌓는 일은 책을 읽거나 공부하는 일이다. 능력은 기르는 일이다.

재(財)테크 꿈은 이루어진다

　세상에 공짜는 없다. 일확천금을 바라지 말라. 이는 삶의 기본 원칙이다. 누구나 쉽게 돈을 벌려고 한다. 쉽게 벌거나 공짜 돈은 쉽게 나간다. 이는 진리다. 그래서 내가 모은 돈이 작더라도 소중하고 가치 있게 쓰게 된다.

　절약은 습관이고 태도이고 삶의 가치관이다. 미래를 위해 기초를 튼튼히 하는 작업이다. 기초가 튼튼해야 건축물이 오래 버티듯이 삶을 소박하게 사는 게 우선이다. 더도 말고 덜도 말고 절약부터 한다. 월급은 늘어도 씀씀이를 줄이지 않으면 더욱 가난해진다. 쓰고 남는 돈이란 없다. 눈 딱 감고 일단 저축하는 습관이 몸에 배도록 사는 일이다.

　부의 첫 시작은 절약이다. 티끌 모아 태산이 된다는 속담이 진실이다. 누군가는 티끌은 모아야 티끌이라고 하지만 인생은 길다. 길게 내다보고 멀리 보는 삶의 가치관이 필요하다. 남과 비교하지 말고 내 인생의 전과 비교하면 된다. 종잣돈이 생기는 게 부의 첫걸음이다. 돈은 돈을 낳고, 그 돈이 이자를 늘리며 부를 키우는 거다.

돈은 우리 삶에서 중요한 것이다. 행복하게 사는 데 필요한 소중한 것이다. 부의 출발은 종잣돈이다. 절약이 종잣돈이 되고 종잣돈은 황금알을 낳는 거위로 키우는 게 투자이다. 거위를 잡아먹는 우를 범하지 말아야 하는 게 부의 지름길이다. 근로소득에 추가로 수입을 만드는 방법도 고민한다. 도전하는 일은 능력을 키우는 일이고 공부하는 삶이다.

재테크 수단에는 무엇이 있을까?

재테크하면 바로 머릿속에 떠오르는 대표적인 종목은 예금, 부동산, 주식, 채권, 현물 등 여러 가지가 있다. 재테크 중에서 가장 쉽고, 안정성 있는 수단이 예금과 적금이 대부분이다. 꾸준히 돈을 넣고 있으면 은행에서 이자를 준다. 최근에는 매우 다양한 재테크 종류가 있다. 사회 초년생이라면 세금과 노후를 대비하기 위한 연금저축에 가입한다. 개인이 스스로 노후 준비를 할 수 있도록 도와주는 제도이다.

생활 씀씀이를 줄이고 절약하고 저축하여 생활하는 게 현명한 방법이다. 절약은 꾸준하게 돈을 모으고 목돈을 마련한다. 재테크의 첫 출발이다. 목돈을 마련하여 투자가 재테크이다. 주식, 부동산, 암호화폐 등 투자를 어디에 하는 게 좋은지 정답은 없다. 정답이 없는 투자라 안전한 분야에 투자가 바람직하다. 답은 아무도 모른다. 다만 상황이나 지역에 따라 다

3부. 꿈을 위한 재(財)테크

르다. 부동산, 주식, 예금에 적절하게 분배한다. 절약과 투자는 현 상태를 유지하는 방법이다. 부동산(不動産)은 토지, 건물같이 토지에 딱 붙어있어 쉽게 떼어낼 수 없는 것을 말하며, 부동산은 말 그대로 움직이지 않는 재산. 동산(動産)은 재산 가치가 있는 것. 현금이나 보석, 주식 등 가능한 재산을 말한다. 부동산은 아파트, 빌라, 땅, 등등 움직일 수 없는 자산을 말한다. 토지(땅)나 건물을 구매, 판매하면서 나오는 시세차익 혹은 임대하여 이익을 얻는 방법을 재테크라고 한다. 예를 들면, 아파트를 구매하고 몇 년 살고 나서 팔아서 얻는 이익을 부동산 투자라고 한다. 몇 번 반복하거나 갭투자를 부동산 투자라고 표현한다.

재테크하면 바로 머릿속에 떠오르는 대표적인 종목이 주식이다. 주식은 투자자가 회사에 돈을 주고 그만큼 주인(주주)이 된다. 펀드는 내가 직접 하는 것이 아닌 투자전문가가 대신 투자해 준다. 채권은 빚 채(債), 문서 권(卷)으로 돈을 빌려줬다는 증서이다. 외환 외환은 다른 나라 통화의 교환이다. 우리가 쉽게 아는 달러, 위안화, 유로화, 엔화, 등 다른 나라에서 쓰는 돈이다.

재테크는 목표가 아니라 과정이다. 인생 참으로 길다. 그리고 시간은 누구에게나 공평하다. 한 살이라도 젊을 때 재(財)테크를 시작한다면 나중에 어떻게 되겠는가.

직장인은 월급에서 일부를 저축하는 방법이 제일이다. 하지만 금리를 다지거나 짧은 시간에 많이 벌려고 하니 문제다. 천 리 길도 한 걸음부터이다. 누군가는 일확천금도 가능하다고 할 것이다. 그렇지만 대부분 허리띠 졸라매 모으는 게 힘들고 어렵다. 직장인은 월급이 적다고 생각한다. 물가가 오르니까 당연하다. 대책은 월급이 적은 것이 아니라 소비생활의 문제가 크다. 젊은 시절 소비하려고 하는 욕구를 참는 기간이 가장 힘들다. 일상의 씀씀이가 크면 저축하지 못하는 게 문제가 아니라 마이너스 인생이 된다. 지하로 가는 길이다. 늘 돈이 부족한 적자 인생이 된다. 내 자산이 내려가는 엘리베이터를 탄 것이다. 오르려면 올라가는 엘리베이터를 타야 한다.

소비생활의 예시이다. 광고나 할인행사에 참여하여 소비했을 것이다. 이는 누구나 경험하는 일이다. 물건을 사게 되면 할부하게 된다. 할부는 월급으로 조금씩 갚아서 물건을 사는 행동이다. 이는 내려가는 엘리베이터에 타는 것이다. 과소비는 아니지만, 소비 습관의 차이다. 좋은 소비 습관이 되길 희망한다. 내게 정말 필요한지 한 번 더 생각하는 소비 습관이 재테크의 기본이다. 세상에는 공짜가 없다. 돈이란 적은 돈이 쌓이면, 눈덩이 불어나듯이 더 큰돈이 되고, 더더욱 큰돈이 모여야 투자도 한다. 재테크는 돈을 모으고 불리는 기술이다. 적은 돈을 아껴 종잣돈 만드는 게 재테크의 첫걸음이다.

YOLO는 you only live once의 두 문자이다. 한번 사는 인생 제대로 즐기자는 의미이다. 6) 인생은 한 번뿐이니 지금, 이 순간을 즐기라는 것이다. 따라서 욜로족들은 지금, 당장, 현재의 행복을 중요하게 여기는 특징이 있다. 주로 20~30대를 중심으로 형성되고 있는 욜로족들은 현재의 행복을 위해 아낌없이 투자하고 소비한다.

욜로가 사회에 등장하게 된 배경에는, 미래에 대한 불확실성을 꼽을 수 있다. 욜로족의 욜로(YOLO)라이프는 미래를 걱정하기보다 현재를 즐기며 사는 가치관이 넓게 퍼지고 있다. 이래 사나 저래 사나 한 번 사는 인생이다. 욜로가 유행이라며 따라 한다면 노후엔 어떻게 될까. 현재 자기 행복을 중요시하는 소비 태도를 말한다.

2017년 세계 행복도 보고서에 따르면 우리나라의 행복 지수는 56위다. 저성장, 청년실업 등 불안함이 지속되다 보니 먹구름이 낀 미래를 생각하게 된다는 것이다. 따라서 현재의 행복만이라도 지키고 싶다는 마음이 작용했다는 것이다. 즉 현실적 무력감이 현재를 즐기는 현실에 충실한 삶으로 확산한 것이다.

---

6) 위키 yolo
https://ko.wikipedia.org/wiki/YOLO

이제는 의학의 발달로 100세는 거뜬히 살 텐데 미래는 어찌할 것인가?

욜로 하다 골로 간다. 괜히 욜로 하다가 골로 간다는 얘기가 나오는 게 현재가 팍팍할수록 더 인내하고 고민하고 미래를 준비하고 전략적으로 살아야 하지 않을까?

요즘 싱글족은 계획적으로 소비하고 저축을 늘린다. 삶을 주도하려는 의지 미래에 대비하는 것. 저축액을 늘리는 또 하나의 방법, N잡러다. 직장인이 두 가지 이상을 하기에는 육체적으로 힘들다. 다만 취미나 특기로 가능하다. 예를 들면 글쓰기, 블로그, 등 찾아보면 많다. 다만 현재 직업에 너무 무리하면 안 된다. 직장마저 잃는다면 큰일이다.

티끌 모아 태산이요, 천 리 길도 한 걸음부터는 정석이고 진리에 가깝다. 젊어서부터 노후 준비하는 것이 바로 유비무환이다. 재테크의 시작은 종잣돈 마련이다.

재테크는 3가지 방법이 우선이다.

첫째는 절약과 저축이다.

둘째는 투자의 자금인 종잣돈 마련이다.

셋째는 무한반복이다.

따라서 무조건 절약하고, 알뜰살뜰하게 예금하는 일이 우선이고 제일이다. 돈을 벌기 시작하는 때부터 티끌을 모아야 태산이 된다. 종잣돈이 있어야 다른 걸 할 수 있다. 그리고 종잣돈을 신중하게 투자하는 일이다. 빛나는 삶은 빚이 없는 생활이다. 빚도 비상금 예금, 적금 현금성 자산. 지나온 어른들은 짧다고 하겠지만 나이가 어릴수록 무진장 길다. 다른 사람의 시선을 의식하지 말고. 인생에서 재(財)테크 과정을 오래 즐기는 사람은 오래갈 수도, 멀리 갈 수도 있는 것이다.

보통 사람들이 할 수 있는 재테크는 무엇일까?
재테크 상품이 많다. 재산은 부동산, 동산이 주를 이룬다. 전통적인 재테크로는 예금, 적금, 부동산, 주식, 채권, 펀드, 금, 은, 달러, 외화투자 등이 있다. 최근 돈벌이 수단으로는 가상화폐, 아트테크, NFT, 반려동물 재테크, 식테크 등 다양한 재테크 수단이 등장했다. 주식 부동산 예금 적금 투자….

처음에는 적금 붓는 것부터 시작하는 게 출발이다. 월급에서 일단 일정 비율 저축하고 난 후 지출하는 게 재테크의 기본이다. 은행에 예금하면 금액은 조금이라지만 늘어간다. 다만 물가 상승률을 생각해야 한다. 금액이 줄어드는 일은 없다. 목돈이 생기면 소비재를 구매하는 게 아니라 펀드나 부동산 등 다양한 방면으로 투자의 눈길을 돌리게 되는 것이다.

개인이 감당할 수 있을 만큼 경험하는 것이 중요하다. 은행에 돈을 맡기는 것과 주식을 사는 것은 전 다른 분야임을 명심해야 한다.

주식에 투자하려면 기본적인 학습과 투자 마인드가 필요하다. 주식 투자가 항상 항상 돈을 불릴 수 있는 것은 아니다. 개구리가 뛰는 방향은 알 수 없다. 주식 투자의 수익을 아무도 모른다. 단 지금까지의 삶에서 본 경험은 우상향이지만 다 그런 것은 아니다. 투자를 제대로 하지 못하면 손해 보는 경우도 생긴다. 따라서 투자해야 할지 말아야 할지 판단할 수 있는 안목이 중요하다. 수입보다 지출이 많으면 가난해지고, 지출보다 수입이 많으면 돈이 모여 부가 형성된다. 소득을 늘리고 지출을 줄여 저축하는 습관으로 노후 준비 자금을 마련해야 한다.

재테크의 기본은 현실 가능한 목표를 정하는 것이다. 재테크는 빚테크다. 빚내는 데도 기술이 필요하다. 대출이자는 은행이 가장 싸다. 대출은 받지 않는 것이 가장 좋지만, 받는다면 금융기관을 이용하는 것이 좋다.

대출금리는 '담보대출→마이너스통장→신용대출→신용카드 현금서비스' 순으로 높아진다. 지금까지 살면서 시행착오 많이 경험했다. 현명하게 소비하는 방법이 제일이다. IMF 시절엔 이자가 높아 빚을 갚느라고 고생했다. 그때는 빚을 갚으려고 유산 받은 고향의 작은 땅도 팔았는데 안타깝다.

자녀가 모두 어릴 때 주고받던 금반지도 값이 뛰고 있다. 당시의 금값과 지금의 금값을 비교하면 안다. 왜 금 투자를 진작에 하지 않았을까 하는 후회도 된다. 그땐 돈이 없었고 세상에 관해 관심도 없었다. 앞으로도 금값은 계속 오를까?

금은 공식 화폐로 쓰이지 않지만 중요한 투자자산이다. 금의 값어치는 가끔 떨어지지만, 보관이나 운반이 쉬워 부자들의 안전자산으로 취급한다. 주식보다는 안전한 투자를 할 수 있다는 장점이 있다. 누군가는 지금 금에 투자할 돈이 없다는 게 문제다. 살아 보니 금리가 내리면 금 시세는 오르고, 금리가 오르면 금값은 떨어지는 게 통상적이었다.

투자 공부 방법 아는 만큼 보인다는 말이 있듯이 알아야 한다. 알려면 그 분야의 전문가처럼 공부해야 한다. 공부한다고 다 아는 것도 아니다. 따라서 배움은 평생 하는 것이다. 그래서 나온 말이 평생 공부다. 공부하지 않는 삶은 안주하든지 퇴보하는 삶이다.

재(財)테크는 지(知)테크이다

재(財)테크는 지(知)테크이다. 평균 수명이 연장되고 직업에 대한 불안정성이 커지고 있다. 알아야 한다. 금융과 경제 분야에 관해 공부를 해야 한다. 재(財)테크 기술을 배우고 익히는 것이 중요하다. 지(知)테크 하는 것이다. 스스로 공부하는 방법은 독서이다. 전문 분야의 아카데미에도 등록하고 배운다. 유튜브에는 재테크 강의도 많이 있다. 그럴 뿐만 아니라 재테크 강의가 있으면 시간을 내어 참석해 보면 다양한 정보를 얻게 된다.

재테크는 누가 할까?
언제부터 재테크 할까?
어떻게 재테크 할까?
왜 재테크 할까?
어떤 분야에 재테크 할까?

재테크란 우리가 일반적으로 쉽게 생각할 수 있는 기본적인 것으로는 은행 예금이 있다. 가장 손쉽고 안전하게 재산을 관리하고 불릴 수 있는 수단이다. 지(知)테크는 공부하는 삶이다.

젊을 때부터 노후 대비를 시작하는 것은 바람직한 선택이다. 다만 투자에 정답도 없으며 왕도는 더욱 없다. 투자에는 투자할 종잣돈을 모으고 투자할 수 있는 공부가 제일 중요하다. 투자의 기본은 불필요한 지출은 막고 돈을 소중하게 여겨야 한다. 투자 상품도 누구에게나 좋을 수는 없다. 주식 관련 상품에 장기 투자하면 큰 수익을 기대할 수 있다. 하지만 모두가 장기 투자하지는 않는다. 장기 투자는 어디까지나 10년, 20년 이상 장기 투자하면 수익이 보장되는 것이다.

요즘 투자는 매우 다양하다. 아트테크(Art Investment Technology, ArtTech) 예술을 뜻하는 아트와 재테크를 합성한 말로 요즘 새롭게 주목받고 있는 투자 방식이다. 7)

빚을 어떻게 될까?

인생은 빛나는 인생이 되어야지 빚내는 인생이 되어야 하겠는가. 빚이 있으면 걱정이다. 대부분 가정은 대출은 늘어가고 있다. 우리나라 가정의 현실이다. 금리와 상환을 주제로 공부하고 하루라도 빨리 갚는 데 이익이다. 금리가 높은 대출 빨리 갚는다. 대출을 빨리 갚는 게 편안한 삶이다. 집을 사거나 전세 대출은 좋은 때도 있다. 빚은 적절한 것 활용한다.

---

7) 아트테크 정리
https://laviademio.co.kr/entry/아트테크

재테크는 돈을 버는 일이다. 돈을 벌고 돈을 모으면 재산이 쌓이고 부가 형성된다. 슈즈 테크, 아트 테크도 나날이 성장한다. 빚도 질만하면 재테크이다. 은행에 가면 개인의 신용 상태를 알 수 있다. 신용 등급이 대출의 조건이다. 개인신용은 대출금액의 가치이다. 돈의 가치를 알려면 조금 빌려보라. 하지만 빚은 인생에서 평생 갚아야 할 돈이다. 빚은 대를 이어 갚아야 하기에 가족에게 피해를 준다. 인생 살면서 빚이 생기게 마련이다. 세상에 진 빚이 없다면 빛나는 인생이다. 마음의 평화가 온다. 가난에서 벗어나는 길은 두 가지다. 자기 재산을 늘리는 것과 자신의 욕망을 줄이는 것이다. 재산을 늘리는 것은 노력만으로 해결되지 않지만, 욕망을 줄이는 것은 마음만 먹으면 언제나 가능한 것이다.

토머스 에디슨은 "돈이 돈을 불러 온다"라는 말이 있다. 유대 격언엔 "돈은 무자비한 주인이지만, 유익한 종이 되기도 한다."라고 했다. 돈은 필요하다. 삶을 풍요롭게 해준다. 투자 공부 제대로 해야 한다. 오늘 하루 더욱 빛나는 내 삶이다.

자신의 상황과 환경에 맞는 재무설계를 하기 위해서는 꾸준히 관심을 두고 공부한다. 내 집 마련을 위해서이건, 노후 자금을 위해서이건, 투자는 결국 본인의 선택이다. 돈을 소중하게 여기며 모은 나의 소중한 종잣돈이 훗날 내 재산 형성에 매우 큰 도움이 된다.

3부 꿈을 위한 재(財)테크

도서 『부자 아빠 가난한 아빠, 로버트 기요사키 』 책의 내용이다.

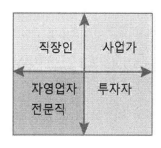

1사분면은 직장인(Employee),

2사분면은 자영업자(Self Employee)

3사분면은 사업가(Business Owner)

4사분면은 투자가(Investor)입니다.

1사분면은 직장인이 해당한다. 일정한 돈을 받으며 생활하는 월급쟁이의 경우다. 만약 퇴사하면 수입이 전혀 없다.

2사분면은 자영업자(전문직)이다. 이 또한 시간당 벌어들이는 돈은 많을 수 있지만 일하지 않으면 돈이 나오지 않는다. 자영업자에는 의사나 변호사와 같은 이들도 포함한다. 시간당 벌어들이는 돈이 많을지 몰라도 일하지 않으면 돈이 나오지 않는다는 1, 2사분면에서의 일은 말 그대로 '노동 수입'이다. 일을 하는 만큼, 다시 말해 시간을 투자하는 만큼 돈을 번다는 의미이다.

3사분면은 사업가에 해당한다. 만약 종합병원을 운영하는 의사이면서 그의 병원에서 일하는 의사가 500명보다 많다면 자영업자보다는 사업가에 가깝다.

4사분면은 투자자이다. Investor(투자가)는 대표적인 투자자로 워런 버핏, 앙드레코스토로니 등을 예로 들 수 있다.

3,4분면은 '자산 수입'이다. 일을 하지만 돈이 돈을 버는 구조(system)로 되어 있다. 부가적인 수입을 만들어 돈이 돈을 낳도록 하는 것이다. 그래서, 1, 2사분면에서 일하는 사람은 시간 투자가 없으면 돈이 더 이상 들어오지 않아 부자가 될 수 없으며 3, 4분면에서 일을 하는 사람은 시간이 아닌, 돈이 돈을 버는 시스템이 24시간 계속 작동하기에 부자가 된다는 의미다.

돈을 버는 도구의 차이를 구체적으로 제시한 내용이다.

누구나 직업을 가지고 돈을 벌고, 돈을 쓰고, 돈을 모아도 돈은 부족한 게 현실이다. 이는 평생 일을 하더라도 누구나 노후가 걱정이다. 원하는 삶을 살 수 있을까 걱정이다. 미래가 점점 어려워지는 사회가 되는 현상이다. 노동 수입과 자산 수입에 대해 생각하는 의미 있는 내용이다.

재테크는 어떻게 할까?

재테크를 생각하는 순간이 가장 빠른 때이다. 내 나이를 생각하면 된다. 만약 20~40대라면 너무 좋은 시기이고, 50~60대라도 마찬가지다. 절대 늦지 않았다. 다만 마음먹기가 조급하면 안 된다. 남과 비교하는 삶이 아니라, 어제와 비교하는 삶이다. 빛나는 인생은 빚 없는 인생이다. 빚은 빛나는 인생이 아니라 어두운 삶이 시작된다. 물론 빚이 빛나는 때도 있겠지만 극히 일부분이다. 돈을 더 벌기 위한 재(財)테크하거나 능력과 재주를 키우는 재(才)테크하는 것이다. 재(財)테크의 기본은 지(知)테크가 기본이다. 그리고 자신을 위한 재(才)테크가 제일이다.

재(財)테크는 한마디로 공부다. 공부해야 한다. "무엇을 공부할까요" 자신을 위한 공부, 업무를 위한 공부, 자격을 위한 공부, 취미나 특기를 위한 공부, 가족을 위한 공부, 공부할 게 너무 많다. 일상이 바쁜데 공부할 시간 없다가 아니라, 시간 관리하면 된다. 나를 위한 시간을 갖는 것이다. 돈과 시간이 충분한 삶이 있을까? 누구에게나 시간은 공평하지만, 하는 일이 다를 뿐이다. 이 시간을 잘 활용하는 게 재(財)테크 중의 재(才)테크이다.

월리엄 제임스는 "생각이 바뀌면 행동이 바뀌고, 행동이 바뀌면 습관이 바뀌고, 습관이 바뀌면 인격이 바뀌고, 인격이 바뀌면 운명이 바뀐다."라고 했다. 재테크는 절약하는 마음이 우선이다. 내 마음 다짐하고 실천하는 일이다. 소비를 줄이는 게 가장 좋은 방법이다. 만약 차를 산다면 할부금, 차량 유지비, 세금 등을 생각해 본다. 물론 출퇴근 교통비와 비슷하다면 괜찮다. 내게 꼭 필요한 소비를 해야 한다. 불필요한 지출을 줄이는 방법은 많다. 외식, 여행, 쇼핑을 줄이는 방법을 실천하는 일이다. 목돈을 모으는 방법은 즐거운 일, 상품 구매하는 비용을 줄여야 한다. 여가는 자기 계발, 생산활동 등 찾으면 된다. 특히 월급쟁이는 월급이 오른 만큼 소비하는 게 아니라, 월급 오른 이상을 아껴야 현상 유지다. 물가 오른 것보다 더 절약해야 재산이 모인다.

안정적 노후 주택연금 활용 여유로운 삶을 지속할 수 있다. 다만 주택연금이든 관련 수령액과 집값에 대해 정확하게 확인하길 바란다.

국민연금이든 개인연금이든 한 달 소득과 소비에 대해 점검하고 준비한다. 연금 미리 확인해 보고 계획을 세워 노후에 대한 불안을 덜기를 바란다. 50~60대는 은퇴를 앞둔 경우엔 계획을 잘 세운다. 기대 수명이 늘어나면서 노후 불안감은 점점 커지고 있다. 노후 준비된 사람은 걱정이 없을까?

3부. 꿈을 위한 재(財)테크

퇴직 후 현직 이전의 삶을 살 수 있을까?

내 삶은 행복할까?

삶의 질도 높이고 행복해지는 방법은 무엇일까?

은퇴 후의 노후 적정생활비가 필요하다. 가능하면 퇴직 시기를 늦추고 퇴직하더라도 재취업해야 하는 시기다. 100세 시대에 국민연금, 개인연금만으로 살 수 있다면 다행이다. 모아 둔 자산은 언젠가는 고갈되기 마련이다. 지금 황금알을 낳는 거위를 키워보자.

짠테크는 기본이다.

많이 번다면 적게 버는 것보다는 좋다고 한다. 그러나 버는 거도 중요하지만, 적게 쓰는 게 진짜 중요하다. 한 달 생활비는 주어진 소득 안에서 아껴 쓰고 합리적인 소비를 하는 방법을 택한다. 한마디로 짠테크이다. 짠테크의 사례는 다양하다. 짠테크 의지가 있다면 자가용은 가급적 나중에 사고 대중교통 이용하는 습관이다. 일상에 필요한 옷이나 가구, 체면치레하는 경조사 비용, 여행경비, 단체 모임 비용은 생각보다 많다. 물건 구매는 꼭 필요한 물건만 사는 방법이다. 궁상맞다고 할 수도 있겠다. 하지만 남을 의식하는 삶이 아니라 내가 미래를 내가 준비하는 것이다. 남이 내 미래를 준비해 주지 않는다. 또한 건강한 음식을 먹는 습관이다. 잘 먹고 잘사는 게 좋다지만 지나친 과식에 달콤한 음식은 고혈압, 당뇨를 불러온다. 나중에 수십 년이 흐르면 어떻게 될지 뻔하다. 병원비와 건강 유지하느라 더욱더 힘들게 된다. 내 몸에 투자하는 걷기, 달리기, 줄넘기, 자전거 타기, 운동하기는 돈으로 해결하는 게 아니다. 의지와 노력이다.

일상에서 수입과 지출을 반드시 염두에 둔다. 돈을 쓰다 보면 늘 부족한 게 삶이다. 가장 기본인 짠테크는 커피나 담배값, 술값이다. 이를 아끼고 모은다면 모은 것은 다 내것이 된다. 가족 행사, 명절, 휴가, 비정기 지출에 대한 평생 걱정 없는 가정은 많지 않다. 항목별로 나열하면 끝이 없다. 자녀 교육비, 경조사비, 의료비, 정기적인 세금, 자동차 보험, 생활비 등등…. 평생 돈을 벌어도 돈 걱정 없는 가정은 없다. 모두가 행복한 삶을 살기 바란다. 또한 고령화와 의료비의 지출에 대비해야 한다. 생활비 절약하여 저축하고, 지출은 줄이는 게 상책이다. 물가 오르는 게 걱정이라면 오르는 물가 이상으로 짠테크 하면 된다. 작은 돈을 아끼는 습관이 재테크의 첫째 방법이다.

3부. 꿈을 위한 재(財)테크

종잣돈이 투자의 기본이다.

예금하는 이유는 무엇일까?

더욱더 좋은 물건을 사기 위해, 여행 가기 위해, 더 좋은 집을 사기 위해 저축하는 예도 있겠다. 장단기의 계획이 중요하다. 사람이 살다 보면 예기치 못한 곳에 돈이 들어갈 데가 많다. 주변에 신경 쓰지 말고 내가 사는 길을 찾는 게 기본이다. 형편 되는 대로 적금을 통해서 종잣돈을 마련하여 지렛대를 얻는 게 중요하다. 작은 게 모이면 자신감과 성취감 삶의 의욕이 생긴다. 작은 행복을 느끼며 미래를 추구하며 인내하는 것이다.

종잣돈 만들기는 간단하다. 모으고 또 모으는 일이다. 티끌 모아 태산이다. 천 리 길도 한 걸음부터이다. 벽돌 한 장이 쌓여 큰 주택을 만든다. 우공이산처럼 꾸준하게 성실하게 오래 기다림이 결과를 만든다. "인내는 쓰다, 그러나 그 열매는 달다."라는 말을 믿는다. 삶에서 역경이 지나면 경험이 버팀목이 되고, 고진감래를 실감한다. 종잣돈이 있어야 이를 적절하게 투자한다. 종잣돈을 소비재로 소비하는 삶이 아니라 생산재로 변환하는 게 투자다.

투자는 여유가 있는 돈을 가지고 투자해야 한다. 올바르게 알아보고 신중하게 투자한다. 투자의 최종 선택은 자신이다. 그럴듯하게 포장된 투자에는 신중하게 대처한다. 나한테만 주어지는 특별한 정보는 없다. 복리 상품이 있다면 빠르게 가입하고 오래 투자한다. 수익률이 높고 안전하다.

목돈은 투자 또는 재가입하여 투자 공부, 주식, 부동산, 채권, 내 성향에 맞는 소액 투자한다. 투자 공부는 천 리 길도 한 걸음부터이다. 예금과 채권, 주식과 부동산은 긴 안목을 가지고 투자한다면 좋은 일이 될 수 있다.

분양가상한제 아파트

나는 부동산 초보자(부동산 어린이)고 주식 투자 초보자(주식 어린이)다. 부동산과 주식에 대해 제대로 아는 게 없다. 부동산에 관해 관심이 없이 지낸 삶이다. 전세와 월세, 임대아파트를 번갈아 가며 수십 년 살다가 몇 년 전에 아파트에 당첨되어 살고 있다. 아파트 담보 대출이 많아 금리에 민감해지고 있다. 누군가는 "아파트 팔고 다른 지역으로 이사하면 되지"라고 하지만 현재는 매매가 제한되어 팔지도 못하는 분양가상한제 아파트에서 살고 있다.

3부. 꿈을 위한 재(財)테크

분양가상한제(分讓價上限制)란 일정한 지역에서 아파트 등 공동주택을 분양할 때 일정한 기준으로 산정한 분양 가격 이하로만 판매할 수 있게 하는 제도. 주택법 57조에 근거한다.

공공택지 내 공동주택 분양가상한제는 분양가만 상한선을 두는 제도일 뿐, 분양 이후의 시세에 상한선을 두는 제도가 아니다. 단, 최장 10년까지 전매 제한 기한을 설정해 이익 실현을 제한하는 효과는 있다지만 대부분은 이 경우 거주요건만 채우고 다른 방법으로 돌리는 경우가 생긴다.

과거의 일이 생각난다. 어느 날 엉망인 내 삶에 카드 돌려 막기를 해야 하는 일상이다. 은행에서는 전화와 메시지가 날아오고 있고 특별한 방법이 없다. 카드 빚은 적자의 내리막길이다. 빚이 점점 늘어나는 돈이다. 빚이 줄어들어야 하는데 더 벌지 못하니 정말 빚이 커지나가 다음 달이 걱정되는 빚이다. 은행에 다니는 친구로부터 전화를 받는다. 시골의 땅을 담보로 대출받는 방법이 있으니 부동산담보 대출을 받으라고 했다. 작은 땅을 담보로 대출을 받고 근근이 생활하면서 몇 년을 지내게 된다. 어느 날 청약에 관한 이야기를 듣게 된다. 청약 통장과 상관없이 당첨되었다. 인천 부평에 위치한 새 아파트에 입주하는 데 입주금 낼 돈이 없어서 당첨을 포기하게 된다.

어느 날 수도권의 분양가 상한제 아파트 청약이라는 게 생겼다. 좋은 지역에 아파트값이 지역의 시세보다 반값에 청약하는 아파트에 청약 신청했다. 설마 되겠어? 가 아니라 되면 어떻게 돈을 마련할지 걱정이었다. 왜냐하면 청약 통장 가입기간이 거의 30년이 넘었고 무주택 기간이 길고 다자녀에 가산점이 있어 덜컥 신청했다. 당첨되었지만 계약금조차 없었다. 수백 대의 경쟁률을 뚫고 당첨되었는데 걱정이 태산이다. 이 집에 들어가 살 수 없는 재산 상태이다. 지금은 여기저기 모든 대출은 다 받아서 입주하고 지낸다. 한마디로 영끌이다.

일단 은행에서 아파트 주택담보대출을 최대로 받고, 신용대출, 직장에서 대출하여 분양가 상한제 아파트는 실 거주기간이 있고 10년 내 전매 금지다. 그런데 이 집을 팔지도 못하는 계약 상태의 아파트다. 아뿔싸 금리가 점점 오르고 있다. 더더욱 걱정이 태산이다. 부동산 경기가 이렇게 해서 지금은 재테크가 절실하게 필요함을 알게 되었다.

주식 투자에 대해 구체적인 방법은 잘 모른다. 주변에는 주식 투자하는 사람도 많다. 주식 투자는 경험자들의 이야기를 주로 듣는다. 다만 주식 투자를 개인이 알아서 잘하는 경우도 많다. 하지만 투자는 관련 전문가의 도움을 받으며 잘 판단하여 해결하길 바란다. 투자 회사, 투자전문가들뿐만 아니라 관심 두는 사람들은 알고 있는 사실이다.

3부. 꿈을 위한 재財테크

아파트나 주택이 좋은 위치는 누구나 살고 싶은 곳이다. 일반적으로 강남을 중심으로 교통환경이 좋은 곳이다. 쾌적한 공원이나 자연환경이 잘 갖추어진 곳은 더욱 좋다. 각종 안전시설과 교통이 편리한 곳, 병원, 백화점, 마트가 가까운 곳이다. 이왕이면 교육환경이 우수한 지역이라면 더할 나위 없다. 또한 직장과 주택이 가깝다면 더욱 좋은 일이다. 출·퇴근 경우엔 대중교통 이용이 편리한 전철역 주변이나 GTX 역이 가까운 곳을 당연하게 생각할 것이다. 개인 삶의 취향이나 여건에 따라 달라질 수 있지만, 대부분 좋다고 하는 곳이다.

현재 우리나라가 수도권 중심으로 발달하고 있다. 인구가 수도권으로 집중되면 부동산은 어떻게 될지 뻔한 일이다. 모두가 수도권을 원하는 건 아니기에 균형 있는 국토의 발전이 정답이다. 국가의 미래를 위해 균형 있는 국가 발전을 추진해야 한다.

주식 투자는 왜 하지?

주식 투자의 비법은 누구나 다 알고 있다. 매우 간단하다. 주식이 "쌀 때 사서 비쌀 때 팔라"라고 한다. 누군가는 "무릎에 사서 어깨에 팔라"라고 한다.

주식의 고수 워런 버핏은 "10년 동안 주식을 소유할 자신이 없다면, 단 10분도 보유하지 마라."라고 한다. 그는 좋은 주식을 장기간 보유하는 것이 가장 훌륭한 투자 전략이라고 한다. 투자에 성공하는 비법이야 다양하겠지만 일리가 있다. "잠자는 동안에도 돈이 들어오는 방법을 찾지 못한다면, 당신은 죽을 때까지 일해야만 할 것이다."라는 말이 있다. 노동소득과 노동 외 소득을 말한다. 주식이나 부동산은 물가가 오르는 만큼 이상 오랫동안 있으면 우상향한다. 결국은 대부분 오른다는 이야기다. 장기 투자는 '기다림의 미학'이라고 한다. 오래 기다리는 게 상책임을 믿고 싶다.

돈은 노동을 통해 얻는 것이 대부분이다, 근로소득이다. 근로 외 소득은 힘든 노동에서 벗어나게 해준다. 근로 외 소득은 이자 소득, 주식 배당금, 건물이나 주택의 월세, 작사·작곡의 저작권료, 유명한 도서의 인세 등 자동화된 수익이다. 이를 이용하는 사람들이 증가하고 있다. 출근하여 일하는 동안에 돈을 버는 게 보통 사람들의 일상이고 대부분을 차지한다.

3부. 꿈을 위한 재(財)테크

그래서 평생 돈을 벌기 위해 일을 해야 한다. 일하지 않으면 수익은 당장 없다. 따라서 하루라도 젊었을 때 근로 외 소득에 신경을 쓰면 나중에 풍요롭게 삶을 사는 방법이다.

워런 버핏은 "잠자는 동안에도 돈이 들어오는 방법을 찾지 못한다면 당신은 죽을 때까지 일해야 할 것이다."라고 했다.

낮이나 밤이나 일과 상관없이 돈이 들어오는 걸 이자 소득 또는 건물을 임대해서 받는 월세….

누군가는 일하지 않고 돈을 버는 걸 추가 소득, 자산소득, 불로 소득이라고 한다. 이를 얻기 위해 노력한 걸 아는가? 예를 들면 투자자는 투자를 통해 돈을 번다. 작사·작곡가는 곡을 통해, 유명한 작가는 책을 써서…. 그렇다면 당신은 어떠한가?

황금알을 낳는 거위를 키울 것인가?
거위가 크기도 전에 잡아먹을 것인가?

재테크는 하고자 하는 내 마음에 달려있다. 물건은 꼭 필요한 것을 비교하며 구매한다. 정리 정돈을 잘하여 중복된 물건이 없도록 한다. 좋은 물건은 오랜 기간 사용할 목적으로 구매한다. 엥겔지수와 문화비를 낮춘다면, 미래 자산의 가치는 점점 늘어난다.

버는 만큼 소비생활을 하면 하루살이 인생이다. 버는 것이 중요한 게 아니라 남는 게 얼마인가가 중요하다. 수입이 늘어도 방심은 금물이다. 수입이 늘면 느는 만큼 이상을 모으는 게 황금알을 키우는 방법이다. 황금알을 낳는 거위는 하루 이틀에 만들어지지 않는다. 성실함과 꾸준함, 인내의 보상이다.

인내하면 못 할 일이 없다. 인내는 성공하는 데 필요한 필수요소의 가치이다.

캘빈 쿨리지(Calvin Coolidge)는 "세상에 어느 것도 끈기를 대신할 수 없다. 재능도 끈기를 대신할 수 없을 것이다. 재능을 지녔음에도 불구하고 성공하지 못하는 경우가 많다. 천재도 끈기를 대신할 수 없다. 성공하지 못한 천재가 얼마나 많은가. 교육도 이를 대신할 수 없다. 세상은 교육받은 낙오자들로 가득 차 있다. 끈기와 결단력만 있으면 못 할 일이 없다."라고 했다. 루소는 "인내는 쓰다. 그러나 그 열매는 달다"라고 했다. 인생을 살면서 인내해야 할 것들이 너무도 많이 있다. 하지만 새롭게 향해 나아갈 때 고통과 인내가 따른다. 인내하고 또 인내하고 끝까지 인내해야 한다. 결국 인내는 내 소망을 이루어 줄 것이다. 고진감래는 반드시 있다. 쓴 것이 다하면 단 것이 온다는 뜻으로, 고생 끝에 행복이 온다는 뜻이다. 부는 그냥 만들어지는 게 아니다. 천 리 길도 한걸음부터의 철저한 실천이다.

3부. 꿈을 위한 재(財)테크

그동안 내 삶은 짠테크이다. 식비를 줄이고, 특히 외식은 거의 하지 않는 삶이다. 절약해서 조금 불편하게 살기를 선택했다. 체면치레하면 행사는 거의 가지 못했다.

짠테크는 알뜰하게 사는 방법이고 꾸준히 하다 보니 일상의 습관이 되었다. 빚을 줄이기 위해 동창회, 여행, 참석하지 않기…. 눈사람은 조그만 눈 뭉치에서 출발한다. 이를 굴리면 눈덩이가 커진다. 짠테크도 처음엔 조그만 금액이다. 그러나 이를 계속해서 아끼고 늘리면 그 크기가 점점 커진다. 하루아침에 달성되는 게 아니지만, 은근과 끈기로 만들면 다 된다. 이래서 나온 말이 '티끌 모아 태산이다'를 실감하는 것이다. 멀리 보고 길게 보고 깊이 보고 높이 보는 삶의 지혜다. 취미는 독서고 특기는 일상 글 쓰는 삶이다. 시간 나면 도서관에 가거나 유튜브 강의 듣기 삶이다.

도서관에서 책을 빌려 읽는 경우가 많았다. 지금은 책을 쓰면서 자존감도 높아지고 그동안 읽는 책이 도움이 되고 있다. 지금은 경험한 일과 관련한 책을 쓰거나 연구하고 쓰고 싶은 책을 쓰는 일이다. 이 방법을 알려주고자 강의 기회가 오면 무조건 달려가 알려주는 삶을 살고 있다. 책 쓰기 방법, 글쓰기 방법, 학교생활 사례, 내가 가진 역량과 수업 비법, 지금은 내가 감사하게 앞으로 어떤 방향으로 살아야 하는지를 살펴보고 깨닫는 중이다.

해병대 구호 "안 되면 되게 하라"가 생각난다. 지테크의 시작은 뜻을 두고 포기하지 않는 끈기를 갖는 것이다. 나를 살리는 길은 목표를 갖고 될 때까지 포기하지 않는 정신이다. 어떤 상황이 오더라도 용기를 잃지 않는 삶이 당당함이고 자신감이다. 내 몸이 내 자산이고 패기를 갖고 말고, 용기를 가지고 다니는 삶이다 『재테크는 지테크다』는 삶의 방법과 내용이, 이 세상 사람들에게 일상에서 작은 희망의 불꽃이 되기를 바란다.

재테크는 지테크를 더욱 실감하는 삶이다. 배움에는 끝이 없다. 지테크를 실천하는 지금이 내 인생의 가장 빠른 날이다. 독서야말로 시작이고 평생 학습하는 게 진짜 지테크이다.

평생 학습을 위한 재(再)테크

재테크는 자기 계발하는 일이다. 재테크이다 한 번뿐인 인생 다시 도전하는 재테크이다. 제2의 삶이다. 나를 비우고 다시 채우는 시간이 시작된 것이다. 지금 시작이다. Do it now 성실하게 세상을 이바지하는 일 내 경험은 경력이고 능력이다. 체험과 경험은 실력이고 능력이다. 인간의 매력이다.

재(再)테크 재테크는 무엇인가?

재테크는 행복하고 풍요한 인생을 살고자 하는 사람들이 증가하고 있다. 선택이 아니라 필수다. 세상을 살아 보니 돈은 매우 소중하다. 돈이 우선은 아니지만, 적정한 돈은 삶에 행복을 가져다준다. 돈이 다가 아니라고 말하지만, 삶에 꼭 필요한 것이다.

경험은 인생의 스승이라고 했다. 재(再)테크는 다시 시작하는 인생이다. 평생 무엇인가를 배우는 자세를 유지하고, 자신의 가치를 높이는 일이다. 현재 상태에서 자기 계발이다. 재(再)테크는 평생 학습하는 일이다.

지금 10대라면 무엇을 준비해야 할까?

지금 20대라면 무엇을 준비해야 할까?

지금 30대라면 무엇을 준비해야 할까?

지금 40대라면 무엇을 준비해야 할까?

지금 50대라면 무엇을 준비해야 할까?

지금 60대라면 무엇을 준비해야 할까?

요즘 세상에는 배우는 자가 살아남는다. 인생은 자신과 싸움이다. 직장에서 물러나야 하는 순간은 누구에게나 찾아온다. 행복한 은퇴란 무엇일까?

만약 60세에 은퇴한다고 가정하자. 은퇴 후 30~40년을 무엇하며 보낼 것인지 생각해야 한다. 현재의 삶에서 배움 없이 미래에 대한 계획을 세우는 것은 불가능하다. 제2의 인생을 펼치기 위한 구체적인 계획 구상이다. 즐기는 삶을 추구하는 것이다. '나는 행복합니다' 외친다.

제2의 인생이 지금과는 전혀 다른 삶의 변화를 불러올 수도 있다. 다만 현재 자신의 기본적인 욕구를 돌아보는 것도 중요하다. 현재 처한 위치에서 주변 환경을 살펴야 한다. 건강, 인간관계, 재정 상태 등 환갑이 넘어 퇴직한 후 새롭게 뭘 시작한다는 것은 어려운 일이다. 전문가들은 은퇴 후 계속 일하라고 권한다. 은퇴 교육을 통해 미리미리 준비하는 게 중요하다.

롱런(Long Run)하려면 평생 공부하는 롱런(Long Learn)하는 삶이다. 롱런(Long Run)은 롱런(Long Learn)이다. 평생 공부하며 성장하고 성찰하고 깨닫는 삶이 행복한 삶이다.

퇴직 전직 제2의 삶이다. 황금빛 내 인생이다. 웰빙의 삶이다. 자아실현의 삶이다. 세상에 이바지하는 삶이다. 평생 공부하는 삶이다. 도서 『황금빛 내 인생』에는 퇴직 후 제2의 삶에 관한 이야기 사례를 나열한 책이다. 노후는 지금부터 준비하는 삶을 강조하고 평생 배워야 하는 평생 학습을 강조한다.

"웰에이징(Well-Aging)은 웰빙(Well-Being)을 넘어 단순히 오래 사는 것이 아닌 건강하고 아름답게 늙어 간다는 뜻이다. "건강한 육체에 건전한 정신이 깃든다"라고 했다. 항상 몸을 튼튼히 유지하고, 긍정적이며 감사를 표하고 칭찬하는 일이다. 또한 『자서전 쓰기 길라잡이』 도서에는 행복은 무엇인가 재미있고 즐거운 일은 하는 것이라고 한다. 내 삶의 과거를 기록하는 일이다. 지금 행복한 사람이 나중에도 행복해진다. 행복은 마음먹기라고 강조한다. 누구나 삶을 기록하는 게 가치 있고 행복한 삶이라고 강조한다.

월트 디즈니는 "시작하는 방법은 말을 멈추고 행동하는 것입니다."라고 했다. 지금 다시 공부를 시작하는 거다. 지금부터 두 번째 공부를 시작하는 거다. 재테크는 새롭게 다시 시작하는 재(再)테크이다.

휴테크란 무엇인가?

휴테크는 휴식과 여가를 활용하여 창의력을 키우고 자기계발함으로써 경쟁력을 키우는 것을 말한다. 무엇을 위한 휴식인가? 재미있게 사는 일 오늘 온종일 기분 좋은 일 가장 행복한 일이다. 나이가 들면 휴테크가 중요하다. 작은 행복이다. 내 삶의 주인은 나다. 내가 행복한 삶을 흥이 있는 일을 재미있게 하면 의미 있는 행복한 삶이다.

나답게 사는 것이란?

김정운 교수 도서 『노는 만큼 성장한다』 라는 내용에 "심리학적으로 창의력과 재미는 동의어다. 사는 게 전혀 재미없는 사람이 창의적일 수 없는 일이다. 성실하기만 한 사람은 21세기에 절대 살아남을 수 없다. 세상에 갑갑한 사람이 근면 성실하기만 한 사람이다. 물론 21세기에도 근면 성실은 필수 불가결한 덕목이다. 재미를 되찾아야 한다. 잘 노는 사람이 행복하고 잘살게 되어 있다. 그래서 우린 잘 놀아야 한다."라고 했다. 잘 노는 게 행복한 삶이다. 사는 게 재미있고 행복한 사람만이 성공하는 세상이다. 성공해서 행복해지는 것이 아니라 행복해야 성공한다고 한다. 예술은 길고 인생은 짧다고 한다. 마찬가지로 대부분 사람은 노동시간은 길고 휴식시간은 짧다. 휴(休)테크를 강조한다.

　현재를 재미있게 사는 일이 재미있으면 행복한 인생이다. 인생은 도전이다. 제2의 인생은 바로 재테크다. 모든 인생길은 제각각 나름대로 길이 있다. 아름다운 인생을 살아가려면 나는 무엇을 해야 할까. 나답게 사는 일이다. 잘 하는 분야에 힘써야 한다. 긍정적인 마음가짐으로 산다면 삶의 만족도도 높아진다. 타고난 소질을 깨우고 가꾸어 더 성숙한 인간이 되는 길을 걸어간다. 이기주의와 이타주의 균형을 이루는 삶이다. "나무만 보고 숲을 보지 못한다"라는 말이 있다. 인생 하루하루 살다 보면 급한 일이 너무 많아 고령화 이후의 삶을 살펴볼 시간이 없었다. 이제는 잠시 하던 일을 멈추고 내 모습을 살펴야 한다.

　인생은 지금부터 시작이다. 누구나 먹고사는 게 중요한 일이다. 인생 경험으로 살펴보니 세상에 공짜는 없다는 말이 진리다. 이제는 인생 이모작을 꿈꾸는 시기이다. 다시 한번 피땀을 흘리며 도전하는 삶이 남아있다. 100세 시대인데 다시 시작하는 것이다. 지금 나이 먹고 깨닫는 게 매슬로 인생 욕구 5단계 딱 맞는 말이다. 다시 취미나 특기로 자아실현 세상에 이바지하는 자신들의 재능을 떨치는 게 재테크이다.

삶 이란?

삶의 가치는 무엇인가?

무엇을 해야 할까?

60을 전후로 인생을 나누는 거다. 잡초 들판의 잡초는 뽑아도 뽑아도 나오는 게 잡초다. 잡초처럼 버티고 포기란 없다. 행복한 인생 내 재주를 키우고 용기를 내고 다시 도전하는 삶이다. 오랜 세월을 거치면서 터득한 비결을 축적했다. 다양한 경험을 했다. 이를 필요로 하는 곳이나 사람에게 전하는 게 자아실현이다. 자아실현 하려면 공부해야 한다. 재주를 길러야 한다. 어디 가서 내가 가진 재주를 알리려면 강의나 강사 활동을 하게 된다. 그러려면 강의 순서와 요령 강의 방법을 배운다. 유튜브, 도서, 선배 등 찾으면 된다. 두드리면 열리리라는 말이 있다. 열릴 때까지 두드리는 일이다. 강의 다니려면 건강해야 한다. 또한 모르는 게 많이 있다. 내 경험 외는 전부 모르는 일이다, 따라서 배움에도 게을리하지 말아야 한다. 나이 먹으니 배울 게 더욱 많아진다.

나이를 먹는다는 건 자연의 순리이다. 수명을 연장하고 싶은 게 사람 마음이다. 수명 연장과 함께 배움에도 연장이 필요하다. 평생 배우도록 노력하는 인생이다. 따라서 내 몸 건강이 중요하다. 자신의 건강을 지키는 게 애국자다. 내 몸 건강은 가족을 지키는 것이고, 가족을 지키는 게 사회를 지키는 것, 사회를 지키는 게 국가를 지키는 것이다. 점점 많은 사람이 100세 이상 살 게 되는 시대가 될 것이다. 지금까지 해야할 일을 했다면, 이제는 즐겁게 할 수 있고, 하고 싶은 일을 하는 삶이다. 인생은 고난이 찾아오고, 고통 어려움의 순간이 찾아올 때 누가 지혜로운 사람인지 알게 된다. 지금 상황을 인내하고 견뎌 나가는 게 현명함이다. 지혜로움은 버티고 이기는 것이다.

탈무드에 "세상에서 가장 지혜로운 사람은 배우는 자이고, 세상에서 가장 행복한 사람은 감사하는 자이다"라고 했다. 감사하는 삶 늘 감사하는 삶을 사는 사람은 행복한 사람이다. 감사하는 습관은 행운이 따른다. 행복한 마음이다. 현명하고 행복하게 사는 건 감사하는 삶이다. 요즘 은퇴를 앞둔 중장년의 노후는 과거와 매우 다르다. 은퇴 이후 인생 설계를 위한 프로그램 찾아보기 재취업을 위한 준비는 충분히 공부하고 경험해야 한다. 창업이나 투자는 섣불리 덤벼들면 안 된다. 은퇴 후엔 생각할 게 많다. 건강, 소득, 여유 시간이다.

은퇴 후 재취업하는 일을 하는 것이다. 지금까지의 소비 습관을 바꾸는 일이다. 생활 비용이 적게 드는 곳으로 이사를 하는 등 자신의 상황에 맞는 방법을 찾아야 한다.

장수에 따른 노후 의료비 증가와 장기 병간호에 대한 대비책을 생각할 필요가 있다. 새로운 직업을 가지고 소득을 얻을 수 있다. 은퇴 생활에서 중요한 것은 지출 금액에 신경 써야 한다. 주택이 있다면 작은 집으로 이사 가거나 주택연금을 고려할 필요가 있다. 또한 투자 공부를 철저히 한 뒤 투자해야 한다.

재테크는 재(再)테크다.

제2의 인생은 다시 거듭나는 인생이다. 제2의 인생 삶은 남은 시간의 노예가 되지 말고 주인이 되는 당당함이다. 순간순간 행복한 삶이 깨달음이다. 공수래공수거란 마음에서 다시 공부하는 삶이다. 평생 학습하는 시대의 삶은 배우고 익히며 깨달음의 삶이다. 자아실현의 삶으로 세상에 이바지하는 사람이 되는 것이다.

재테크는 나를 다시 단련하는 것이다. 자신을 향해 나는 소중하다. 아무런 일도 하지 않으면 아무것도 일어나지 않는다. 다시 도전하는 것이다. 그래야 재테크를 할 수 있다. 세상을 바꾸는 게 아니라 나를 바꾸는 자세이다. 환경을 바꾸는 게 아니라 나를 바꾸는 거다. 과거를 바꿀 수 없지만, 미래를 바꿀 수 있다. 다른 사람을 제어할 수 없지만 나는 나를 조종하며 일에 최선을 다할 수는 있다. 모두 다 내 마음에서 출발한다.

나는 할 수 있다. 나는 내가 자랑스럽다.

인생 주인은 나다.

나는 나다.

나는 내가 자랑스럽다.

나는 내가 소중하다.

재테크 비결은?

재테크는 내게 투자하는 게 제일이다. 내 몸과 재능에, 공부하는 투자이다. 재테크는 장기전이고 기다림이다. 인생은 한 번뿐이다.

세상에서 돈의 중요함을 알아야 한다. 수입의 많고 적음이 중요한 게 아니다. 수입보다 소비하는 지출이 많으면 어떻게 될까. 마이너스 인생이다. 재테크의 기본은 수입을 늘리던지 지출을 줄이는 것이 기본이다. 가장 중요한 것은 올바른 수입과 지출관리에 대한 습관을 제대로 하는 것이다. 인생의 시기에 따른 행복은 다르다. 다만 한 살이라도 더 젊었을 때 재테크의 기본은 알아야 한다.

사람의 멋이란?
인생의 맛이란?

삶을 행복하게 사는 비결은 내게 투자하는 것이다. 1인당 소득이 증가한다고 행복 지수가 증가하는 것도 아니다. 인생은 선물이라 생각하고 현재 만족하는 삶이다. 지금 행복해야 미래도 행복하다.

아리스토텔레스는 "행복은 삶의 의미이자 목적이며, 인간 존재의 전체적인 목표와 종착점이다."라고 했다. 삶의 목적은 행복이다. 행복은 삶의 의미이기 때문에 매일 삶의 자체가 중요하다. "우리는 반복적으로 하는 것이 우리 자신이 된다. 우수함은 행위가 아니라 습관이다." "우리가 반복적으로 행하는 것이 우리 자신이다. 그렇다면 탁월함은 행동이 아닌 습관이다."라고 했다. 또한 "행복한 생활은 덕에 의한 경우가 많다. 덕을 실천하는 사람, 덕을 생활 속에 베푸는 사람, 그런 사람에게 행복이 따른다. 행복해지고 싶거든 덕에 의한 생활을 해라."라고 했다. 감사하는 삶, 베푸는 삶이다. 인생에서 잘하는 것이나 뛰어남을 달성하기 위해서는 좋은 습관을 기르는 것이 중요하다고 강조한다. 1만 시간의 법칙이다. 노력의 결과이다. 어렵고 힘든 문제가 앞에 놓여 있다고 하더라도 항상 긍정적인 생각을 가지고 자신은 행복할 수 있다고 생각하는 삶이다.

나이 먹거나 혼자 있으면 외롭다. 가족이 그립고, 친구가 그립고, 이야기할 대상이 적다. 외롭고 괴롭고 쓸쓸함이 다가온다. 나이를 따지지 말고, 과거의 직업 묻지도 말고, 함께하면 좋은 대화하기 편한 친구가 필요하다. 소통이 즐거운 친구가 있는 게 행복의 기본적인 요소다. 즐기는 사람을 따라잡기는 역시 쉽지 않다. 따라서 재테크는 행복이고 인테크이다.

『논어』 《옹야편》 의 글이다.

知之者不如 好之者요, 好之者不如 樂之者니라.

지지자불여 호지자, 호지자불여 낙지자.

아는 것은 좋아하는 것만 못하고, 좋아하는 것은 즐기는 것만 못하다. 단순한 지식 습득 및 암기에 그치는 것이 아니라, 자기 주도적인 능동적 관심 속에서 체득하는 것이 더욱더 값진 가치를 얻을 수 있다는 것을 의미한다.

공자는 깨달음의 과정을 지지자(知之者) 호지자(好之者) 낙지자(樂之者)의 3단계로 구분한다.

1단계는 지지자(知之者)로서 무엇을 아는 초보적인 단계에 있는 사람이다.

2단계는 호지자(好之者)로서 하는 일을 좋아하는 사람이다.

3단계는 낙지자(樂之者)로서 하는 일을 즐기는 사람이다. "나이는 거저먹는 것이 아니지요. 노년의 아름다움은 성숙(成熟)이다. 성숙하다는 것은 깨달음이요, 깨달음엔 지혜를 만나는 길이다. 살며, 알며, 지내며, 느끼며, 깨닫지 않고는 느낄 수 없는 것이다." 우리 인생도 행복과 불행을 처음부터 선택해서 태어나지 않는다. 힘든 세월을 살아가면서, 마음먹기에 달려있다.[8]

---

8) 안산타임스 인생을 즐기는 樂之者의 단계
 https://www.ansantimes.co.kr

재테크는 행복이다. 공부는 평생 하는 삶이고, 요즘 말로는 부가 캐릭터다. 인생을 행복하게 사는 방법의 하나이다.

돈에 대한 투자는 전문적인 곳에 맡기는 게 기본이다. 전문가보다는 내가 잘 알지 못하기 때문이다. 투자 공부한들 그들보다 더 나아질까? 투자의 판단은 스스로 하지만 공부하는 삶이다. 나이가 들수록 투자를 줄이는 것이 좋다. 전문가들은 투자할 포트폴리오의 비율을 찾기 위해 100세에서 본인의 나이를 빼라고 제안한다. 실수나 실패는 인생을 배우게 된다. 이 또한 최선을 다하며 공부하는 것이다.

인생 성공이란 무엇인가?

사전에서 정의하는 성공은 '목적하는 바를 이루는 것'이다.

사람마다 부와 기준이 다르다. 행복은 내 마음이다. 행복한 마음이 우선이다. 자신을 인정하고 존중하는 긍정적인 마음이다. 행복해지는 가장 좋은 방법이 긍정적인 마음 먹기다. 재테크는 내 마음을 새롭게 먹는 기술이다. 일신우일신의 삶을 사는 것이다. 새로움으로 거듭나는 삶이다. 내가 가진 잘못된 습관을 고치는 일이다. 재(再)테크는 다시 고쳐 쓰는 내 습관이다. 행복은 더 좋은 일로 변화하는 삶이다.

행복은 누리는 것이다. 행복은 그냥 주어지는 게 아니다. 나로부터 출발한다. 내가 하는 일에 열정과 사랑, 즐거움과 의미, 가치를 정하고 노력하고 사는 일이다. 내가 가장 잘하고 즐거운 게 있으면 이를 삶에서 행하는 일이 행복이다. 행복은 나를 찾는 게임이다. 내가 가진 것에 대한 감사하는 기쁜 마음이다. 나를 사랑하고 꿈과 희망을 품으면 행복을 내가 만드는 것이다. 내가 가진 마음을 찾는 내 마음이다. 마음에 집중하면 삶의 의미를 생각하게 된다.

아리스토텔레스는 "행복은 삶의 의미이자 목적이며, 인간 존재의 전체적인 목표와 종착점이다."라고 말했다. 삶의 궁극적인 목표는 행복이다. 인간은 행복을 이루기 위해서는 이성에 따라 미덕을 살아가는 것이 중요하다고 했다. 덕을 베풀며 지내는 게 행복해지는 삶의 출발이요 도착 지점이다. 삶의 의미는 행복을 추구하는 삶이다. 이게 인생의 지혜이고 가치이다.

하쿠나마타타(Hakuna Matata)는 문제없다, 걱정이 없다라는 의미이며 "모든 것이 다 잘될 것이다"라는 긍정적인 뜻이다.9) 행복은 성적순이 아니라 선착순이다. 긍정적인 생각과 마음을 단단히 하는 믿음과 가치관에 달려있다.

---

9) 위키백과 하쿠나마타타
https://ko.wikipedia.org/wiki/하쿠나마타타

3부. 행복을 위한 재테크

더 나은 삶을 위한 일이 남아있다. 웰빙과 웰다잉의 마음가짐이다. 인생의 목적은 행복이다. 삶의 목적이 행복이라면, 웃음은 행복의 문을 여는 열쇠라고 한다. 행복에 이르는 가장 쉬운 길은 아침에 일어나 내가 가진 것에 감사함을 느끼는 일이다. 100세 시대를 맞아 황금빛 내 인생 행복한 삶을 바란다.

Bravo Bravo Your Life!

한 분야에 성공하는 사람들은 매일 같이 땀을 흘리는 노력이 있었다. 땀 흘리는 삶을 산다면 자신의 분야에서 성공으로 이끌어 줄 것이다. 보이지 않는 데서 그만큼 노력하기 때문에 재능이 꽃을 피운다. 재능은 부와 명예를 얻는 디딤돌이고 지름길이다. 내 재능을 키우는 재(才)테크가 중요하다. 나를 개발하는 재(才)테크는 부가 가치가 가장 높은 재(財)테크다.

노후 재테크

조관일 창의 경영연구소 대표는 인생은 60부터? 노후 준비를 위한 재테크[생각을 바꾸는 시간 15회]에서 재테크를 말했다.10)

첫째, 재(財)테크는 경제적 안정이다.

재테크의 사전적 의미다 "재테크는 재무 테크놀로지의 준말이다. 한자 '재무(財務)'와 영어 '(technology)'의 합성어다. 재테크(財테크, investment)는 기업 또는 개인이 금융이익을 얻기 위해 자산을 투자하여 벌이는 재무 활동이다. 기업 또는 개인의 자금 조달 및 운용이 목적이다."11)

일반적으로 재테크는 돈을 벌고 절약하며, 저축하는 일이 우선이다. 돈을 모으고 일부 종잣돈으로 투자하는 게 일반적인 재테크의 유형이다. 이를 무한반복 하는 게 재테크의 비법이라고 알려져 있다. 다만 돈 버는 방법에는 정답은 없다. 노후 준비 돈은 매우 중요하다.

---

10) 인생은 60부터? 노후 준비를 위한 3가지 재테크
https://www.youtube.com/watch?v=AhgYnS-0BNM&ab_channel=%ED%95%9C%EA%B5%AD%EC%6B%9C%EB%9B%88%EC%96%B4TV

11) 위키백과 재테크
https://ko.wikipedia.org/wiki/재테크

한 번뿐인 인생에서 "욜로 가려다가 골로 간다"라는 말이다. 욜로(YOLO)란? You Only Live Once의 약자로, "인생은 오직 한 번뿐"이라는 의미가 있다. 인생에서 돈은 중요하다. 절약하면서 돈을 모으고 재테크 공부를 하고 투자하는 것이다. 미래를 위해 내 삶의 만족도도 올라가며 훨씬 더 활기찬 삶을 살 수 있게 된다.

인생 2막은 바로 현실이므로 현재를 잘 사는 것이 중요하다는 생각이다. 할 수 있는 게 무엇이 있을까. 퇴직 준비는 미리미리 준비해야 은퇴 이후 걱정이 없게 된다. 한다. 젊은 시절 은퇴 교육은 중요하다. 재직시절엔 60대, 70대, 80대를 생각해야 하는 시간이다. 노후의 행복과 불행을 결정하는 원천이다. 연금, 보험, 부동산, 주식, 저축, 투자에 신중하게 살펴보고 다시 확인한다.

둘째, 재(才)테크 방법이다.

강의, 세미나. 음악회, 미술관 견학 등에 적극적으로 참여하면서 안목을 높이고 견문을 넓힌다. 소득과 취미나 특기, 흥미 있는 일이 중요하다. 아마추어에서 프로의 경지에 다다르게 한다. 평생 글쓰기, 책 쓰기, 독서 방법이다. 평생 할 수 있는 자신 있는 일 일단 시작하라. 나를 개발하는 재(才)테크는 부가 가치가 가장 높은 재(財)테크다.

목공으로 목각 인형 만들기, 글쓰기, 약초 재배, 그림그리기, 악기 다루기…. 글 쓰는 일은 하고 싶은 글 그냥 쓰는 거다. 바로 이게 덕질의 맛이다. 직장생활이 따분하고 무료하면 취미생활을 한다. 유튜브도 좋다, 특별한 취미나 흥미 없다면, 무엇을 할지 연구해 보는 거다. 노후생활의 기대 수준을 확 낮추고 꼭 필요한 것만 지출하는 절약의 미덕이 필요하다,

『한국 시니어 TV, 조관일 』 강연에서 매력 있는 노인 5가지를 제시했다.12) 품격 있는 노인의 자세에 대해 말했다.

> 일, 일부러라도 자주 웃을 것
> 이, 이러쿵저러쿵 따지지 말 것
> 삼, 삼가라~ 품격을 잃는 짓을 하지 말자
> 사, 사랑하자~ 일과 가족 사랑 모든 것을
> 오, 오늘을 만끽하자

재테크 중에 또 하나 추가한다. 지(知)테크이다. 평생 학습 시대이다. 독서, 강의 듣기, 공부하는 것은 평생 하는 일이다. 이제는 배워서 남 주는 게 아니라, 내가 나를 채우는 시간이다.

---

12) 조관일 한국 시니어 TV 강연
https://www.youtube.com/watch?v=AhgYnS-0BNM&ab_channel=%ED%95%9C%EA%B5%AD%EC%8B%9C%EB%8B%88%EC%96%B4TV

3부. 행복을 위한 재테크

4부

인생을 위한 인테크

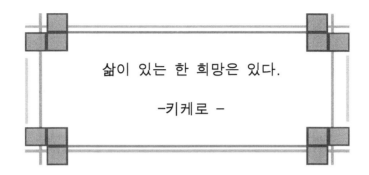

삶이 있는 한 희망은 있다.

-키케로 -

4부. 내 인생을 위한 인테크

내 인생을 위한 인테크이다. 인테크는 인간관계이다. 인간관계는 그냥 주어지는 게 아니다. 인간관계는 잘 관리하고 행복한 삶을 위해 서로 잘 대처하는 방법이다. 인간관계는 사람 사는 세상에서 지켜야 할 덕목이다.

> 인테크는 인(仁)테크이고,
> 인(忍)테크이며,
> 인(人)테크이다.

인테크는 휴먼 네트워크이다. 인테크는 행복한 생활을 위한 삶의 방법이다. 직장 및 사회생활에서 역량을 발휘할 수 있는 인간관계이다.

세 살 버릇 여든까지"라는 속담이 있다. 어린 시절부터 좋은 습관의 중요성을 강조한다. 행복한 마음으로 살아남기란 쉬운 일은 아니다. 한 번뿐인 삶에서 행복하고 좋은 사람이 되기 위해 함께 고민하고 실천하자는 책이다.

인테크의 모든 것

인테크는 무엇인가?

여기에서 인테크의 의미는 간단하다. 인테크는 인간관계이다. 휴먼 네트워크이다.

인테크를 한자로 바꿔 언급하고자 한다. 인테크란 한자 '인'과 영어 'Technology'의 합성어인 '인 테크놀로지'의 줄임말이다. 인테크는 인(人)테크, 인(仁)테크, 인(忍)테크이다.

인테크의 종류이다.
사람 관계를 이해하는 인(人)테크
착하고 성실하게 사는 인(仁)테크
세상사 참고 인내하는 인(忍)테크이다.

인테크는 인(仁, 人, 忍)테크이다. 인테크는 과거와 현재의 인간관계에 관한 내용이다. 세상을 위한 삶을 사는 것이다.

인(仁)테크는 됨됨이다

인테크는 사람 됨됨이다.

인테크란 한자 '인(仁)'과 영어 'Technology'의 합성어인 '인 테크놀로지'의 줄임말이다. 인(仁)+Tech로 인(仁)테크이다.

인테크의 인(仁)은 '어질다'이다.

어질다의 뜻은 "마음이 너그럽고 착하며 슬기롭고 덕이 높다."이다. 어질다는 뜻으로, 공자가 선(善)의 근원이자 행(行)의 기본이라고 강조한 유교 용어이다.

인(仁)의 한자 인(仁)의 모양은 사람(人)과 두 이(二)로 이뤄져 있다. 仁은 곧 二人이다. 두 명이 서로 잘 지낸다는 의미다. 서로 의지하며 친하게 지낸다는 뜻을 나타낸다.

우리나라에서는 인을 어질다라고 하는데, 어질다는 '얼이 짙다'에서 온 말로서 심성의 착함, 행위의 아름다움을 뜻한다. 어질게 살아 보려고 노력해도 뜻대로 되지 않는 것이 현실이다.

『논어 전 옹야(雍也)편』에 인자요산(仁者樂山) 지자요수(知者樂水)라는 말이 있다. 이는 어진 사람은 산을 좋아하고, 지혜로운 사람은 물을 좋아한다는 뜻이다. 성실하고 올바른 삶을 위한 인(仁)테크이다. 이는 공자가 주장한 유교의 도덕 이념 또는 정치 이념에서 사람이 마땅히 지켜야 할 다섯 가지 도리인 인의예지신(仁義禮智信) 중 하나다. 공자는 인을 인간의 도덕적 감수성에 가까운 의미로 사용했다.

　인테크는 삶에서 정신적인 가치와 도덕적인 삶을 말한다. 덕을 쌓는 일이요, 도덕적인 행동하는 삶이다. 인자무적(仁者無敵)이라는 문구가 있다. 간단하게 해석하면 어진 사람은 적이 없다는 말이다. 인자(仁者)는 사랑을 실천하는 삶이다. 인(仁)을 실천하는 마음이 인테크이다.

　인(仁)은 사랑이고, 배려하는 마음이다. 착한 마음이다. 인(仁)은 감사하는 일이고 이를 실천하는 마음이 인(仁)테크이다.

인(忍)테크는 기다림이다

인테크는 인내하는 기다림이다.

인테크란 한자 '인(忍)'과 영어 'Technology'의 합성어인 '인 테크놀로지'의 줄임말이다. 인(忍)+Tech로 인(忍)테크이다.

인내(忍耐)는 '참을 인'(忍)과 '견딜 내'(耐), 즉. '참고 견디는 것'을 뜻한다. 인생을 살면서 인내해야 할 게 많이 있다. 참으면 어려움도 극복할 수 있고, 얻을 수 있는 가치가 더 크다. 참을 인(忍)자 셋이면 살인도 피한다는 속담이 있듯이, 인내는 사람마다 그 깊이에 차이가 있다.

캘빈 쿨리지(Calvin Coolidge)는 "세상의 그 무엇도 인내를 대신할 수 없다. 재능은 인내를 대신할 수 없다, 재능이 있지만 성공하지 못한 사람들이 수두룩하다." "인내와 의지만이 모든 것을 가능케 한다."라는 명언을 남겼다. 인내의 과정은 고통이 따르고, 그 고통을 참고 견뎌 오래 참아내면 결국은 좋은 열매를 맺는다는 것입니다. 인생에서 상처받은 고통을 견디어 내면 아름다움을 만들어 내는 것이다. 그러므로 인내하고 기다리고 참으면 운이 따른다는 말이다.

장 자크 루소. "인내는 쓰다, 그러나 그 열매는 달다."라고 했다. 누구나 즐겁고 행복한 삶을 추구하고 싶다. 하지만 살다 보면 고통과 괴로움이 생기는 게 인생이다. 우리는 자기 자신에 대해서도 오래 참아야 한다.

속담에 "참는 자에게 복이 있다"라고 한다. 억울하고 분한 일이 있더라도 필요에 따라서는 꾹 참고 견디는 것이 상책임을 이르는 말이다. 나만 참는다고 해결되지 않는 일은 많다. 그렇다고 무조건 참으라는 이야기는 아니다. 지나치면 화병이로 더욱 정신적 고통이 된다. 화나는 일이 있어도 조금만 기다려 보자.

명심보감(明心寶鑑)에 있는 화에 관한 글이다.
　　　　인일시지분 면백일지우(忍一時之忿 免百日之憂)
"한때의 화를 참고 견디면 백날의 근심을 면한다"라는 의미다. 화는 참기가 어렵다는 것이다. 한때의 분노를 참으면 백일의 근심을 면할 수 있다는 것은 그만큼 참기가 어렵다는 뜻과 참으면 그만큼 유익하다는 말이다. 고진감래이고 하늘은 스스로 돕는 자를 돕는다는 말이다.

인(人)테크는 인간관계다

인테크는 인간관계다.

인테크란 한자 '인(人)'과 영어 'Technology'의 합성어인 '인 테크놀로지'의 줄임말이다. 인(人)+Tech로 인(人)테크이다.

현대 사회는 소셜 네트워크 사회다. 다양한 관계 속에서 바쁘게 지낸다. 사람을 대하는 자세는 중요하다. 인간관계는 순간순간을 잘 대처하는 일이다. 가족이나 함께 일하는 동료도 잘 챙기지도 못하는 바쁜 삶이다.

인복은 누구에게나 다 있다. 다만 그 기회를 잡지 못하는 것이다. Can I Help You이다. 무엇을 도와드릴까요 하는 삶이다. 인(人)테크는 따뜻한 인간관계의 등불이 되길 기대한다. 성공과 행복의 시작이다.

휴먼 네트워크는 인맥이다. 인맥이란 인간관계 기술이다. 인간관계 기술이다. 인맥은 필요하다. 인테크는 인간관계가 중요한 이유이다. 사회생활에서 이해하고 양보하고, 소통하며 융통성 있는 사회를 만드는 일이다.

인간관계는 중요하다. 추억을 나누는 관계, 정보의 공유와 도움 협력 나눔과 공유이다. 위기에서 구해주는 인간관계 성공을 도와주는 인간관계 행복을 나누어 주는 인간관계는 Giver이고 Helper이다. 인테크는 휴먼 네트워크 관계이다.

소설 『상도, 최인호』에는 인테크(휴먼네트워크) 관련 명구절이 있다. "장사란 이익을 남기기보다 사람을 남기기 위한 것이다. 사람이야말로 장사로 얻을 수 있는 최고의 이윤이며, 따라서 신용이야말로 장사로 얻을 수 있는 최대의 자산이다." 라는 글이다. 이는 인간관계의 신뢰를 중요시하는 말이다. 사람 중심의 삶으로 신용의 중요성을 강조한다.

반기문 UN 사무총장이 말하는 인간관계 7가지이다.

> 1 인생 최대의 지혜는 친절입니다.
> 2 나를 비판하는 사람을 친구로 만드세요.
> 3. 베푸는 것이 얻는 것입니다.
> 4 유머 감각은 큰 자산입니다.
> 5 대화로 승리하는 법을 배우세요.
> 6. 여러분의 친구는 누구입니까?
> 7 세계 역사를 바꿀 수 있는 리더십을 배우세요.

인간은 사회를 떠나 살 수 없다. 아리스토텔레스는 "인간은 사회적 동물이다"라고 했다. 학교나 직장생활에서 누구나 다 어려운 게 인간관계이다. 사회는 인간관계가 중요하다. 인간관계가 학연, 지연이 다가 아니다. 차라리 혼자 있는 게 편하다는 사람도 있다. 내 마음은 내가 정하는 것이다. 인간관계는 내가 먼저가 중요하다. 긍정적이고 적극적인 태도이다. 마음을 열고 먼저 다가가는 것이다.

인테크는 인간관계 기술이다. 스스로 먼저 마음을 열고 다가가는 게 중요하다. 관심을 두고 공감하고 배려하는 마음이다. 누구나 존중하는 마음이다. 존중은 상대를 인정하는 것이다. 존중하고 인정하는 게 가장 좋은 인테크다. 직장에선 일이 힘든 게 아니라 사람이 힘들다고 한다. 직장생활 인간관계는 직장 상사와 부하의 이해관계이다. 직장에선 업무 능력과 성과에 대한 사회적 관계다. 따라서 직장에서의 인간관계는 남녀노소를 떠나 서로 존중하는 관계와 배려다.

"거울은 혼자 웃지 않는다"라고 한다. 인간관계는 상대에게 인상이 중요하다. 상대에게 미소 짓거나 웃는 인상이 중요하다. 특히 어떤 일이든 화내지 말자. 화는 자신의 점수를 깎아내린다. 다른 사람의 마음은 내가 정하는 게 아니다. 내 마음은 나이고, 다른 사람의 마음은 그 마음이다.

짐 콜린스는 성공에 대해 ""나이가 들수록 가족과 주변 사람들이 점점 더 나를 좋아하는 것"이라고 했다. 내가 먼저 좋은 사람이 되는 길이다. 인간관계는 하루 이틀에 이루어지는 게 아니다. 관계가 한번 깨지면 복구하기 어렵다. 좋은 인간관계는 상호 간 신뢰하는 관계다. 상대의 말에 경청하는 태도이다. 겸손한 태도와 긍정적인 자세는 신뢰도를 높인다. 누구든지 겸손한 삶은 아름답다.

"은혜는 돌에 새기고, 원수는 물에 새겨라."라는 말이 있다.

인간관계는 상호작용이다. 진심으로 상대의 마음을 이해하는 것이다. 남을 배려하고 칭찬하는 습관이다. 남을 칭찬하고 인정하는 습관은 나를 높이며, 나에게 되돌아온다. 늘 감사하며 사는 마음가짐이다. 다른 사람을 인정하고 존중하는 태도는 인테크의 시작이고 끝이다.

좋은 인간관계는 지금, 이 순간뿐이다. 관계가 좋으면 소통이 원활해진다. 소통은 만사형통이다. 적절한 소통을 통해 인간관계가 원만하다. 불통은 고통이고 괴롭다. 불통의 원인은 단순하다. 소통이 잘 안되기 때문이다. 인간관계를 구축하는데 시간과 노력을 투자하면 행복 지수를 크게 높일 수 있다.

공자 논어 술이(述而)편에 '삼인행 필유아사(三人行 必有我師)'. 세 사람이 길을 가면, 그중에 반드시 스승이 있다는 뜻이다. 학교, 직장, 동창회, 동호회 등 각종 모임에서 사람을 만난다. 즐겁게 근무하면서 관계를 원만하게 해야 한다. 만나 이야기하면서 서로 좋은 점은 본받고, 나쁜 것은 살펴 스스로 배울 수 있다. 아는 척, 잘난 척하면 다른 사람들이 좋아하지 않는다. 세상사엔 특히 배움에 겸손함이 더욱 중요한 덕목이다. 자신의 부족함을 겸허히 받아들여야 제대로 배울 수 있다. 이는 인간관계에서 올바른 마음가짐이다.

셰익스피어의 글이다. "그대의 마음을 웃음과 기쁨으로 감싸라. 그러면 천 가지 해로움을 막아 주고 생명을 연장해 줄 것이다." 웃음은 유통기한이 없는 최고의 명약이다. 웃음은 만병통치약이다. 일소일소 일노일로(一笑一少一怒一老)가 있다. 이는 한번 웃으면 한번 젊어지고 한번 화내면 한번 늙는다는 의미다. 웃으며 사는 것은 기술이고, 웃는 것은 예술이라 했다. 웃으면 복이 온다, 사람을 보고 웃으면 인간관계가 맺어지고, 웃으면 만사가 형통하는 행동이다.

어제보다 오늘 더 나은 내일이 될 수 있다. 내 미래 어떻게 될까? 모른다. 그렇지만 과거의 결과가 오늘이다. 미래를 바꾸려면 지금부터 바꾸는 일이다. 내가 변화하는 것이다.

4부. 내 인생 미래를 위한 인테크

랠프 월도 에머슨의 '성공이란 무엇인가?' 시이다.

성공이란 무엇인가?

많이 그리고 자주 웃는 것.
현명한 사람들에게 존경받고 아이들에게 애정을 받는 것.
정직한 비평가로부터 찬사를 얻고 잘못된 친구들의 배신을 견뎌내는 것.
아름다움의 진가를 알아내는 것
다른 이들의 가장 좋은 점을 발견하는 것.
건강한 아이를 낳든, 작은 정원을 가꾸든, 사회 환경을 개선하든 세상을 조금이라도 더 좋은 곳으로 만들고 떠나는 것.
당신이 살아 있었기 때문에 단 한 사람의 인생이라도 조금 더 쉽게 숨 쉴 수 있었음을 아는 것.
이것이 진정한 성공이다.

성공이란 말보다 행동이다. 성공이란 자기만족이다. 성공이란 내가 나를 이기는 것이다. 성공이란 내가 나를 인정하는 것이다. 무엇을 하고 사는가도 중요하지만, 어떻게 살아가는가가 중요한 것이다.

도서 『인간관계 맥을 짚어라, 양광모』에는 인간관계 방법은 어떻게 할까? 인테크 관리 방법을 나열했다. 일상에서 인간관계의 중요성은 강조해도 지나침이 없다. 누구나 좋은 인간관계를 원한다. 다만 수많은 사람을 내 편으로 만들고 싶다면 나부터 먼저 좋은 인간관계를 맺어야 한다. 인간관계는 나를 성장시키며 발전시키는 원동력이다. 세상사 모든 일이 하루아침에 이루어지지 않는다. 인맥이 바로 평생을 거쳐서 이루어지는 인간관계다.

하워드 가드너 교수에 의하면 인간에겐 8가지의 다중지능이 있다고 발표했다. 8가지는 언어 지능, 논리−수학적 지능, 공간 지능, 신체 운동적 지능, 음악 지능, 개인 내 지능, 자연주의적 지능, 대인관계(인간 친화) 지능이다. 다중지능 검사를 해보기 바란다. [13]

모든 사람은 개인차가 있기는 하지만 지능을 모두 소유하고 있다. 이 중에서 대인관계 지능 즉 인간친화지능(人間親和知能/Interpersonal Intelligence)은 "주로 사람들과 교류하고 타인의 감정과 행동을 파악하는 능력이다. 대인적 지능(對人的 知能)이라고도 한다. 이 능력이 뛰어난 경우 대부분 사람을 파악하는 능력이 뛰어나기 때문에 상대방하고 어울리는

---

13) 다중지능 검사하기
　　https://multiiqtest.com

능력이 뛰어나다. 이것을 관장하는 부분이 전두엽인데, 여기가 파괴되면 이 지능이 상대적으로 떨어진다고 한다. 사람들 간의 차이점을 주목하는 능력에 기반을 두고 있다. 정치가, 종교인, 마케터, 교사 등의 직종에 요구되는 지능이다."라고 한다.

　부모, 형제, 자매가 가장 소중한 사람들이다. 사랑으로 대하고 경청과 배려 신뢰가 있어야 한다. 친구, 이웃, 직장 동료 모두 마찬가지다. 사람과 사람의 관계는 일회성 만남의 관계가 아니다. 좋은 인간관계가 되기 위해서는 '가랑비에 옷이 젖는다'라는 말처럼 조금씩 신뢰를 쌓아가는 게 인맥이다. '인생은 짧고 예술은 길다'라고 했지만, 100세 시대 삶의 기간 남아있다. 서로 배우고 협력하는 관계 유지가 중요하다. 좋은 인간관계는 만나면 기분 좋은 즐거움이고 마음이 편한 관계다. 나이와는 상관없는 공통적인 관심사를 갖는 관계다. 함께 있을 때 즐거운 사람이다. 마음과 정보를 주고받는 존중하는 관계라면 금상첨화다. 하지만 누군가 만나 억지로 맞추려고 애쓰다 보면 스트레스가 쌓인다. 만나면 불평불만을 표시하거나 안 맞는 사람을 포기하는 용기도 필요하다. 인테크는 바로 내가 지금 시작하는 것이다. 가족에게 사랑한다. 고맙다 감사하다고 말하는 게 시작이다.

인테크는 인성이다

채근담에는 "윗사람에게 예절을 지키기는 어렵지 않으나, 아랫사람에게 예절 있게 하기는 오히려 어렵다. 윗사람을 섬기듯 아랫사람에게 예절이 바르지 않으면 표리부동한 성품으로 떨어지기 쉽다."라고 했다. 예절을 지키고 행하는 것은 나를 더욱 돋보이게 한다. 나는 내가 존중해야 존중받는다.

학교는 인간의 기본을 가르치는 곳이다. 학생은 이 나라의 미래 인재이고 기둥이다. 질서에 대해 기본을 지키도록 권장하는 인성 교육이 점점 더 힘들어지고 있다.

공자는 "예가 아니면 보지 말고, 예가 아니면 듣지 말고, 예가 아니면 행하지 말라."고 했다. 학교에서는 기본을 잘 지키는 교육을 추구한다. 교사와 학생이 신뢰하는 학교 교육을 해야 한다. 요즈음 예절을 배우려고 하지 않는 학생들이 너무 많이 나타나고 있어 안타깝다. 신뢰가 무너지는 지점이 이 부분이다.

요즘 학생들 예절이 없다고들 걱정을 많이 한다. 교육 현장에서 터져 나오는 교사의 불만은 위험 수위를 넘어섰다. 학생들의 불만도 있다. 일반적인 학교의 자연스러운 현상이다. 예절은 어른이 모범을 보이는 것이다.

4부. 내 인생 미래를 위한 인테크

벤저민 프랭클린은 "손윗사람에게 겸손하고, 동등한 사람에게는 예절 바르며, 아랫사람에게는 고결해야 한다."라고 예를 강조했다. 예절은 인간관계의 기본이고 사람 됨됨이를 표현하는 의미다. 학교는 기본적인 학교생활 교육의 규칙과 질서가 필요하다. 인성 교육은 평생교육이다. 인성은 한 사람의 됨됨이를 평가하는 기본이며 인간성이다. 인간성이 곧 인격이다. 인간성은 예절에서 출발한다. 인간관계에서 예절은 사람을 가치 있게 보는 힘이다. 예절이 사람의 품격을 보장하며 인격으로 바라본다. 국가는 사회에서 필요한 준법을 강조해야 한다. 방송에서 예절과 올바른 규칙 준수하는 홍보가 필요하다.

공부는 배움을 즐기는 것이다. 이런 배움이 가치가 높다. 예(禮)는 인격이고 자신을 수양하는 정도이다. 존중받고 존경하는 일이 예를 지키는 것이다. 인성 교육의 출발이다. 예는 사람 됨됨이를 평가하는 근본이고, 이 세상을 이롭게 하는 척도이다. 이것은 곧 홍익인간이다. 21세기 살아가는 우리는 홍익인간을 다시 생각하고 재해석하는 시대정신이 필요하다.

인테크의 기본은 무엇일까?
우리나라의 미래는 지금 가치관의 선택에 달려있다. "윗물이 맑아야 아랫물이 맑다"라는 말이 있다. 맑은 샘에서 맑은 물이 난다. 부모가 모범을 보여야 자식도 효자 노릇을 하게 된다는 의미다. 직장에서는 윗사람이 잘해야 아랫사람도 잘하게 된다는 뜻이다. 가정과 학교, 사회에서 기본이 바로 서는 교육을 제대로 하길 바란다. 교육에서는 학생들이 무엇을 가치 있게 배울까 걱정이다. 윗물이 맑아야 아랫물이 맑다는 의미를 다시 한번 되새겨보아야 할 것이다. 기본을 잘 가르치고 배우는 대한민국 교육을 희망한다. 기본을 잘 지키는 대한민국이 되길 기대한다.

"누가 너더러 억지로 오리를 가자고 하거든, 십 리를 같이 가 주어라. 네게 달라는 사람에게는 주고, 네게 꾸려고 하는 사람을 물리치지 말아라." 마태복음에 있는 구절이다. 해석이야 각자 다르게 할 수 있겠지만, 사람을 대할 때 복이 있는 사람은 다르게 행동한다.

홍익인간(弘益人間)의 위대한 교육적 가치를 사회 모든 곳에서 이루어 갈 수 있기를 기대한다. 세상을 바꾸는 게 아니라 나를 바꾸는 자세이다. 환경을 바꾸는 게 아니라 나를 바꾸는 거다. 과거를 바꿀 수 없지만, 미래를 바꿀 수 있다. 다른 사람을 제어할 수 없지만 나는 나를 조종하며 일에 최선을 다할 수는 있다. 모두 다 내 마음에서 출발한다. 인테크는 나를 다시 단련하는 것이다. 아무런 일도 하지 않으면 아무것도 일어나지 않는다. 다시 도전하는 것이다. 그래야 인테크를 할 수 있다.

나는 할 수 있다.

나는 내가 자랑스럽다.

내 인생 주인은 나다.

나는 내가 소중하다.

내가 자랑스럽다.

기본이 바로 서야

기본이 바로 서야, 가정이 바로 서고,

가정이 바로 서면, 학교가 바로 선다.

학교가 바로 서야, 사회가 바로 서고,

사회가 바로 서면, 국가가 바로 선다.

4부. 내 인생 미래를 위한 인테크

5부

행복은 휴테크이다
(休Tech)

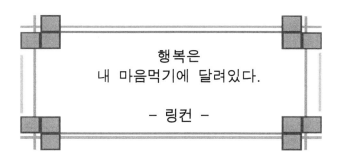

행복은
내 마음먹기에 달려있다.

- 링컨 -

5부. 행복은 휴테크이다

휴테크란 한자 '휴(休)'와 영어 'Technology'의 합성어인 '휴 테크놀로지'의 줄임말이다. 이는 휴(休)+Tech, 휴식을 취하는 기술로 휴(休)테크이다.

휴테크(休 tech)란 "휴식과 한가한 시간을 활용하여 창의력을 키우고 자기 계발을 함으로써 경쟁력을 키우기 위해 하는 일"이라고 정의하는 말이다. 휴테크는 행복한 삶을 위한 방법을 말한다. 휴(休)테크는 휴식이고, 여가이며, 놀이이다. 쉴 때, 놀 때, 일할 때 시간 관리와 자기관리를 하는 기술이다.

휴(休)테크 시대이다. 일하느라 힘든 삶을 살았다면 이제는 휴식을 취하는 시기다. 여유로운 삶은 여가를 즐기는 삶이다.

사는 게 재미없다고 하는 사람이 있을 수 있다. 재미를 찾아야 한다. 잘 노는 게 행복한 삶이다. 잘 노는 사람이 행복하고 잘살게 된다. 잘 놀고 휴식해야 한다.

사는 게 재미있고 행복한 사람이 성공하는 세상이다. 성공해서 행복해지는 것이 아니라 행복해야 성공한다. 여유로운 삶과 놀이는 선택이 아니라 필수다.

휴테크는 놀이다

요즘 휴(休)테크를 강조한다. 휴테크란, 휴식과 여가를 활용하여 창의력을 키우고 자기 계발을 함으로써 경쟁력을 키우는 것을 말한다. 누구나 휴테크가 중요하다. 사업가나 직장인들은 일하는 시간은 길고 휴식 시간은 짧다. 이제 휴식하는 기술이 필요하다.

지금부터 휴(休)테크 출발이다. 휴(休)테크 인생 휴테크는 즐기며 사는 일이다. 지금까지 해야만 하는 일을 하고 살았다면, 이제는 하고 싶어서 하는 일을 하는 삶이다. 일을 즐기면서 재미있게 신나게 하는 것이다. 마치 놀이처럼 사는 삶이다. 지금 하는 이 일 자체를 보람과 즐거움이요 만족이라면 신나게 노는 듯한 기분으로 일할 수 있다.

이게 휴테크다. 쉬는 게 아니라 놀면서 일하면서 하는 여가의 즐거운 삶이다. 이왕이면 하고 싶은 일을 하는 삶이다. 이 일이 인정받고 칭찬받는 받는 가치 있는 일이라면 더욱 행복하다. 내 능력을 발휘하는 자아실현의 삶이다. 노는 듯 즐기는 듯, 즐겁게 하는 일이 남에게 이로운 일이거나 기쁘게 한다면 금상첨화다. 그뿐만 아니라 보수까지 받는 일이라면 더욱 신나는 삶이다.

도서 『휴테크 성공학, 김정운』는 휴테크 성공학 33가지로 휴테크에 관한 내용을 재미있게 제시했다.

"미래의 행복을 위해 현재를 저당 잡히지 말라. 무언가가 충족되어야 행복한 것은 아니다. 행복은 생활의 과정이 즐거운 것이다." 삶의 과정에서 일상을 즐겁게 지낸 게 행복이라 한다. 휴식(休息)의 휴(休)는 사람(人)이 나무(木)에 기대어 앉아 있는 모양이고, 식(息)은 자신(自)의 마음(心)을 돌아보는 것이다. 진정한 휴식과 여가는 자기의 내면을 들여다보고 나를 바라볼 수 있게 해주는 거울이라고 한다.

인간은 호모루덴스이다. 네덜란드 역사가 요한 하위징아는 놀이에 주목해 호모루덴스(Homo ludens·놀이하는 인간)라고 했다. '호모루덴스'는 놀이와 재미를 즐기는 인간이다. 놀이는 문화이고 인간은 놀이하며 지낸다. 놀이하는 삶이 호모루덴스이다. 현재 삶 자체가 놀이처럼 호모루덴스의 시대 즐거움이 경쟁력이다. 재미를 찾으며 즐기는 삶을 의미한다.

놀이하는 인간은 놀면서 생각하고 시간을 보낸다. 즐기면서 상상하고 더 재미있는 방법 없을까 하고 놀이를 즐긴다. '호모루덴스'는 놀이와 재미를 즐기는 인간이다. 놀이는 문화이고, 놀이는 기쁨이다.

무엇을 위한 일인가?

재미있게 사는 일이다. 오늘 온종일 기분이 좋은 일이 있다면 가장 행복한 일이다. 소소하지만 확실한 행복이다. 내 삶의 주인은 나다. 내가 행복한 삶을 흥이 있는 일을 재미있게 하면 의미 있는 행복한 삶이 된다. 현재를 재미있게 사는 일이 재미있으면 행복한 일이다. 시간은 절대 지나간 이후 되돌릴 수 없기에 여러분도 멋진 인생을 위해 내 남은 인생 앞으로 어떻게 살까를 생각하는 시간이다.

내 나이가 중요한 게 아니다. 배우고 익히는 평생 공부 시대이다. 일하며 인간관계 배우고, 놀며 휴식하는 방법은 무궁무진하다. 내가 좋아하고 잘하는 분야의 경험이 진짜 능력이다. 이제는 행복한 내 삶을 찾는 일이다. 내 능력으로 세상에 이바지하는 가치 있고 보람이 있는 일이다. 사명감으로 추구하는 일이다. 지금이 내 남은 인생의 가장 젊은 날이다. 인생 후반전 첫날이다. '안 되면 되게 하라'는 해병대의 구호가 있다. '하면 된다.', '할 수 있다'가 쌓이면 자신감이 생긴다.

나는 행복합니다

사람들은 누구나 행복하게 살고 싶어 한다. 모두 행복을 추구하며 살고 있으며, 행복하게 살아야 하는 삶이다.

행복하게 사는 것은 누구나 누려야 할 권리이고 당연한 이야기이다. 직업의 가치가 과거와는 다르게 크게 변화하고 있다. 삶의 가치도 매우 다양하게 변화한다. 공정한 세상과 공평한 세상이 되길 바랄 뿐이다. 개인의 행복이 천차만별이다. 개인 맞춤형 시대의 행복은 자신의 가치관에 달려있다.

아리스토텔레스는 "행복한 생활은 덕에 의한 경우가 많다. 덕을 실천하는 사람, 덕을 생활 속에 베푸는 사람, 그런 사람에게 행복이 따른다. 행복해지고 싶거든 덕에 의한 생활 해라."라고 말했다. 이처럼 덕을 베푸는 게 행복이라는 의미로 해석된다. 행복을 도덕적인 생활이라고 한다.

올바른 마음가짐은 건강이고, 은혜를 베푸는 게 아름다움이다. 행복은 하루아침에 달성되는 것이 아니지만 하루하루가 행복이다. 배워서 남 주는 인생에서, 인생이 끝날 때까지 행복하게 살아야 하는 인생이다.

헤르만 헤세의 『행복해진다는 것』에서 "인생에 주어진 의무는 다른 아무것도 없다네, 그저 행복(幸福)해지라는 한 가지 의무뿐…."이라고 했다. 행복은 생활 속에서 기쁘고 즐겁고 만족을 느끼는 상태이다. 행복은 누구나 마음먹기에 달려있다는 의미다. '나는 행복합니다.' 외쳐본다.

행복하게 살려면 어떻게 해야 할까?

인생 후반전에는 생활 습관의 중요성이다. 원더풀 인생 후반전을 행복하게 사는 작은 습관 일곱 가지를 제시했다.

원더풀 인생 후반전 TV에서는 행복하게 사는 작은 습관 7가지이다.[14]

1. 일찍 자고 일찍 일어나라.
2. 호기심을 가져라.
3. 존중하는 마음을 가져라.
4. 용서하라
5. 건강을 잘 챙기자.
6. 자기 자신을 믿어라.
7. 잠을 충분히 자라.
원더풀 인생 후반전 TV

---

14) 원더풀 인생 후반전 TV - 행복하게 사는 작은 습관 일곱 가지
https://www.youtube.com/watch?v=AsrFmaKs-kY&list=PL9Dqlkt5LD3hLaRE7cFBZAxy0Q1dzGRrV&index=4&ab_channel=
%EC%9B%90%EB%8D%94%ED%92%80%EC%9D%B8%EC%83%9D%ED%9B%84%EB%B0%98%EC%A0%84

지금 행복하십니까?

최근 통계청이 발표한 국민 삶의 질 보고서에 따르면, 대한민국의 행복 지수는 해마다 낮아지고 있다. 행복한 세상이다. 행복한 삶은 마음 먹기에 달려있다.

'세상은 넓고 할 일은 많다.'라는 명언을 생각하는 시점이다. 퇴직 후 삶은 행복을 누리는 삶을 살아야 하는 사명이다. 이 세상에 크게 이바지하는 삶을 살고 퇴직한다. 그동안 직장 생활하느라 수고 많았다고 감사의 말을 듣는다면 감사한 일이다. 지금 나이를 먹으니 지속할 수 있는 직장이 없다고 하기엔 아직 젊다. 나이 먹건 누구나 다 마찬가지이지만, 이제 해야 할 일은 선택이요, 필수이다. 세상에 이바지하는 무엇인가를 준비하는 시기다. 이 세상엔 할 일이 너무나도 많다. 보물 찾듯이 찾아서 해야 할 일이 남아있다.

나는 삶 행복합니다. 제2의 인생이 지금과는 전혀 다른 삶의 변화를 불러올 수도 있다. 다만 현재 자신의 기본적인 욕구를 돌아보는 것도 중요하다. 현재 처한 위치에서 주변 환경을 살펴야 한다. 건강, 인간관계, 재정 상태 등. 환갑이 넘어 퇴직한 후 새롭게 뭘 시작한다는 것은 어려운 일이다. 전문가들은 은퇴 후 계속 일하라고 권한다.

롱런(Long Run)하는 인생

평생직장은 끝났다. 이제는 평생 학습하는 일이 남아있다. 평생 학습 시대에서 평생 해야 할 일거리를 찾는 게 롱런 (Long Run)하는 인생이다. 롱런(Long Run)하는 삶은 롱런 (Long Learn)이다.

롱런(Long Run) 어떻게 하지?

롱런(Long Run)은 롱런(Long Learn)하는 삶이요, 롱런 (Long Learn)은 지금부터 시작이다. 롱런(Long Learn)하는 삶이다. 롱런(Long Learn)하는 삶은 배우고 익히며 시간을 보내야 한다. 공부는 이제 시작이다. 여가는 독서하고 배우며 일거리를 찾아서 해야 하는 시간이다. 배우고 싶은 것을 배우 는 게 행복한 시간이다.

공부는 "학문이나 기술을 배우고 익히는 것"이다. 평생 해 야 하는 게 공부다. 그래서 평생 공부라는 말이 오늘날 중요 하므로 누구나 실천해야 한다. 미래에는 지속적인 학습이 필 수다. 가장 중요한 것은 평생 배우고 공부하는 학습 습관을 지닌 능력이 필요하다. 홍익인간의 이념과 정신을 실천할 때 이다.

찰스 다윈은 "강한 종이 살아남는 것이 아니라 변화하는 종이 살아남는다"라고 명언을 남겼다. 새로운 지식과 기술을 배우기 위해 책을 읽거나 강의를 듣는 것이 좋다. 온라인에서는 많은 공개 강의나 웹사이트를 통해 학습할 수 있다. 시대의 변화에 유연하게 대응하고, 새로운 상황에 잘 적응하는 게 필요한 때이다. 사회 변화에 따라 요구되는 능력은 달라진다. 변화에 대응하는 게 배우는 능력이다. 새로운 디지털 도구와 플랫폼을 이해하고 활용하는 능력이다. 지금 그렇다고 미래를 생각해 안달하지 않기를 바란다. 세상을 살면서 전문 분야의 사람들로부터 배우며 지내는 게 지혜를 얻는 지름길이다. 스스로 성장하고 발전한다. 다양한 사람들과 협력하고 소통하고 존중하는 능력이 필요하다. 우리나라의 교육이념인 홍익인간이 떠오른다. 모든 사람이 사람답게 살아가는 세상이 되길 기대한다. 지속 가능한 세상을 위한 삶을 사는 게 홍익인간 삶이다.

휴테크는 쉬는 게 아니라 놀면서 일하면서 하는 여가의 즐거운 삶이다. 일도 놀이도 즐겁게 하면 보람이 있고 가치 있는 일이다. 100세 시대의 남은 인생 지금부터라도 감사하며 살고, 재미있게 살고, 베풀며 살게 된다면 행복한 인생이다. 행복은 감사하며 사는 내 마음먹기다.

인생의 마지막 순간에 대부분 사람이 후회하며 껄껄껄 한다는 우스갯소리가 있다. " ～ 했으면 좋았을 껄" 하면서 죽는다고 한다.

첫 번째 껄은, 보다 베풀고 살 껄,

두 번째 껄은, 보다 용서하고 살 껄,

마지막 껄은, 보다 재미있게 살 껄 이라고 한다.

껄껄껄 (김종옥· 선희준 작사 김동찬 작곡)

사랑했다 미워했다 덧없이 세월이 갔다.
너와 내가 함께 보냈던 그래도 그때가 좋았다.
세상살이 인생살이 돌아보면 별것 아닌데
잘해줄 걸 용서할 걸 안아줄 걸 그랬어
껄껄껄 아쉬움에 껄껄껄 웃으면서
인생은 흘러가더라

～

중략

～

세상살이 인생살이 돌아보면 별것 아닌데
잘해줄 걸 용서할 걸 안아줄 걸 그랬어.
껄껄껄 아쉬움에 껄껄껄 웃으면서
인생은 흘러가더라
청춘은 흘러가더라

삶은 앎이고 행함이다

모든 인생길은 제각각 나름대로 길이 있다. 자기답게 사는 것이다. 아름다운 인생을 살아가려면 삶에 대해 여유가 있어야 한다. 나답게 사는 일, 자기 자신이 되는 일에 힘써야 한다는 뜻이다. 자기 자신이 되는 일에 만족하는 사람이다.

인생은 지금부터 시작이다. 누구나 세상에 밥 먹고 먹고사는 게 중요한 일이다. 먹고 살고 난 후에 인생 경험 생각하면 세상에 공자는 없다. 피 땀 눈물 흘린 적 몇 번인가? 도전? 제2의 인생은 바로 재테크다. 다시 댄스나 악기 결성 구성원끼리 모여 다시 사는 거다. 동아리 활동이 취미요 트기요 자아실현 세상에 이바지하는 삶이다.

돈·권력·성공 거기에 굴복당해 끌려갈 뿐이다. 긍정적인 마음가짐 때문에 만족도도 높아질 수 있다. 타고난 소질을 깨우고 가꾸어 더 성숙한 인간이 되는 일이다. 이기주의 이타주의 균형 있는 삶이 중요하다. "나무만 보고 숲을 보지 못한다"라는 말이 있다. 인생 하루하루 살다 보면 급한 일이 너무 많아 고령화 이후의 삶을 살펴볼 시간이 없었다. 이제는 잠시 하던 일을 멈추고 내 모습을 살펴야 한다.

삶의 가치는 무엇인가?

자신들의 재능을 떨치는 게 재테크이다. 한 번뿐인 인생이다. 이제는 인생 이모작을 꿈꾸는 삶이다. 다시 한번 피땀을 흘리며 도전하는 삶이 남아있다. 100세 시대인데 다시 시작하는 것이다. 행복한 인생 내 재주를 키우고 용기를 내고 다시 도전하는 삶이다.

들판의 잡초는 뽑아도 뽑아도 또 나오니까 잡초다. 잡초처럼 버티는 것이다. 인생 포기란 없다. 환갑을 전후로 인생을 나누는 거다. 오랜 세월을 거치면서 다양한 인생 경험했다. 지혜가 필요한 곳에 전하는 게 자아실현이다. 자아실현 하려면 공부해야 한다. 재주를 길러야 한다. 내가 가진 재주를 알리려면 강의나 강사 활동도 있다. 그러려면 강의 순서와 요령 강의 방법을 배운다. 유튜브, 도서, 선배 등 찾으면 된다. 두드리면 열리리라는 말이 있다. 열릴 때까지 두드리는 일이다. 강의 다니려면 건강해야 한다. 또한 모르는 게 많이 있다. 내 경험 외는 전부 모르는 일이다. 따라서 배움에도 게을리하지 말아야 한다.

나이 먹으니 모르는 게 더욱 많아진다. 새로운 정보를 찾고 새로운 정보를 만드는 창조하는 게 할 일이다. 나이를 먹는다는 건 자연의 순리이다. 수명을 연장하고 싶은 게 사람 마음이다. 수명 연장과 함께 배움에도 연장이 필요하다. 평생 배우도록 노력하는 인생이다. 이 때문에 내 몸 건강이 중요하다. 자신의 건강을 지키는 게 애국자다.

내 몸 건강은 가족을 지키는 것이고, 가족을 지키는 게 사회를 지키는 것이다. 사회를 지키는 게 국가를 지키는 것이다. 점점 많은 사람이 100세 이상 살 게 되는 시대가 되었다. 고령화는 세계적인 현상이다. 늙어가는 대한민국이 아니라 성숙해지고 지혜로운 대한민국을 기대한다.

인생 재테크를 다시 생각한다. 다시 시작하는 것이다. 재테크는 재(在)테크다. 고령화와 건강은 제일 중요한 일이고 할 수 있는 소일거리도 중요하다. 지금까지 해야 할 일을 했다면 이제는 할 수 있고 하고 싶은 일을 하는 삶이다.

홀로 걷는 인생길이다. 음악(音樂)의 한자 악(樂)과 약의 약(藥)자 한자는 비슷하다. 병이나 상처를 고치는 약(藥)의 한자는 즐거울 락(악)(樂) 한자에 풀 초의 글자가 있다. 노래 많이 듣고 부르면 보약이다. 노래는 만병통치약이다. 온몸으로 감정과 아름다운 음악을 많이 들으면 된다. 몸을 움직이고, 음악을 많이 듣는 삶의 맛이 풍부해진다. 노래는 들을 때보다 부를 때 직접 흥이 난다.

평온한 인생에서는 모두 비슷한 삶을 사는 것 같다. 그러나 고난이 찾아오고, 고통 어려움의 순간이 찾아올 때 누가 지혜로운 사람인지 알게 된다. 감사하는 삶 늘 감사하는 삶을 사는 사람은 행복한 사람이다. 돈이 있건 없건, 키가 크건 작건, 몸이 아프건 안 아프건, 감사하는 마음이 우선이다. 어떠한 상황에서든 감사하는 습관은 행운을 부르고 복된 삶이다.

요즘 은퇴를 앞둔 중장년의 노후는 과거와 매우 다르다. 은퇴 이후 인생 설계를 위한 프로그램 찾아보기 재취업을 위한 준비는 충분히 공부하고 경험해야 한다. 창업이나 투자는 섣불리 덤벼들면 안 된다. 은퇴 후엔 생각할 게 많다. 건강, 소득, 여유 시간이다. 일단 내게 잇는 채무 빚의 상태 파악이다 '은퇴 후 재취업하는 일을 하는 것이다. 지금까지의 소비 습관을 바꾸는 일이다. 생활 비용이 적게 드는 곳으로 이사를 하는 등 자신의 상황에 맞는 방법을 찾아야 한다.

"앎은 안다는 것으로, 특정한 물건이나 사람, 혹은 추상적인 어떠한 것을 이해할 수 있거나 그에 대한 지식이 있다는 것을 의미한다. 깨닫는다는 것은 단순히 '알고' 있는 상태를 의미하는 것이 아니라, 몰랐던 것을 알게 된 상황을 의미한다. 불교에서는 이 깨달음이 해탈과 같은 의미로 사용된다." 15)

---

15) 위키백과 앎
https://ko.wikipedia.org/wiki/앎

흔히 기독교는 사랑의 종교, 불교는 깨달음의 종교라고 한다. 깨달음은 뭔가를 깊이 생각하다가 알게 되는 것으로 지식적 또는 학문적으로 어떤 것의 원리나 비법 등등을 알았다고 할 때도 깨달음이란 말을 쓰지만, 동양철학에서는 주로 마음의 평화니, 번뇌에서의 해방이니 하는 동양 종교 특유의 경지에 도달한 것을 깨달음이라고 많이 부른다. 깨달음은 통찰의 시작이며, 그 자체만으로는 많은 것이 바뀌지 않을 수도 있다. 다만 하나의 통찰은 다른 통찰로 이어져, 장기적으로 삶을 깨닫기 이전과는 다른 방향으로 조금씩이나마 바꿔 나갈 잠재력을 갖게 되거나, 실제로 다른 삶을 살게 되기도 한다.16)

깨달음을 이룬 사람이 있는지 모르겠다. 사람들이 깨달으려면 어떻게 해야 하는 겁니까? 깨달음을 목표로 삼는 것만으로도 우리의 삶에 놀라운 의미다.

---

16) 나무위키 https://namu.wiki/w/깨달음

감사하는 인생

제2의 인생이다. 재테크는 재(再)테크다. 다시 거듭나는 인생이요 삶이다. 노래 영화 허망한 마음을 채워주는 수단이다. 독서 깨달음이다. 공수래공수거 다시 공부하는 삶 평생 공부하는 삶 미래 삶에 관한 깨달음이다. 젊은 시절 인생관을 고집하지 말고, 60세부터는 인생을 거침없이 즐기는 삶이다.

돈에 노예가 되질 말고 돈의 주인이 되라는 말과 같이 제2의 인생 삶은 시간의 노예가 되지 말고 시간의 주인이 되는 당당함이다. 돈은 행복을 위한 수단을 제공한다. 이를 잘 활용하여 더 나은 삶을 사는 게 진짜 행복이다. 순간의 행복에서 영원한 행복을 찾는 일이다. 고진감래이고 고생 끝에 낙이 온다. 하늘은 스스로 돕는 자를 돕는다. 세상 공짜는 없다. 한 번뿐인 인 인생을 깨닫는 시기다. 천직 직업 내 일 보람과 만족 역지사지 세상에서 삶의 방법은 내 마음먹기 나름이다.

인생 사는 것 자체가 감사한 일이고, 감사하며 사는 게 행복한 삶이라고 이야기한다. 감사하는 힘이 곧 행복이다. 감사는 감동하는 일이며, 감동은 감탄하는 일이며, 감탄은 감격하는 삶이다.

지그 지글러는 "나는 감사할 줄 모르면서 행복한 사람을 한 번도 만나보지 못했다."라고 말한다. 내가 행복하려면 나부터 감사한 마음으로 생활하면 된다. 가르칠 기회에 감사하고 가르치는 행동하는 일에 감사하는 것이다. 감사하는 말은 언제 들어도 좋은 말이다. 감사하면 감사할 일이 생긴다. 삶을 긍정적으로 생각하면 인간관계 마음 상할 일 없다. 힘들면 스스로 잘 이겨낼 수 있는 방법을 찾아서 행하는 게 제일이다. 인생을 마음껏 즐기자. 내일을 살아가는 힘을 기르자. 내 마음은 내가 정하는 거다. 내 마음이 따뜻해지는 게 마음먹기 달려있다. 마음은 비우고 따스함은 채워야 한다.

인생 사는 것 자체가 감사한 일이다. 오늘도 내가 가진 것에 감사하며 사는 일이다. 감사하며 사는 게 행복한 삶이라고 이야기한다. 내가 감사를 받았으면 감사는 누구에게나 있다. Give & Take 세상이 아니라 다른 데 감사를 표현하는 게 감사의 세상이 된다. 누구에게나 감사한 일이다.

깊은 생각이 감사를 불러온다. 자신에게 감사하는 것은 매우 중요하다. 모든 삶이 감사한 일이다. 지금 감사한 마음으로 생활하는 거다. 대한민국 과거를 생각하면 지금의 상황은 선진국이다. 지속 가능한 행복한 나라를 위하여 감사하며 사는 삶이다. 감사합니다.

5부. 행복은 휴(休)테크이다.

탈무드에 "세상에서 가장 지혜로운 사람은 배우는 자이고, 세상에서 가장 행복한 사람은 감사하는 자이다"라고 했다. 감사하는 마음과 행동은 지혜로운 자라는 의미다. 감사하는 자 세상에서 행복한 사람이라는 뜻이다. 감사의 마음 전한다. 감사하고 또 감사하라. 감사하면 감사할 일이 생겨난다. 오늘도 하고 싶은 일을 마음껏 즐기면서 살아가는 행복한 하루가 감사한 일이다. 행복한 사람은, 아주 작은 감사라도 있는 사람이다. 감사는 사람의 가치를 높여준다. 감사할 줄 아는 사람이 세상을 아름답게 만든다. 감사는 사람들에게 보람과 만족을 준다.

"감사합니다"라고 표현하는 감사하는 마음, 감사하는 태도는 감탄할 일이다. 감사하게 생각하는 감사한 삶이 감사할 뿐이다. 감사합니다. 이는 듣기만 하여도 가슴 설레는 말이다. 늘 감사하는 마음을 갖자. 감사하는 마음은 근력이다.

김수환 추기경께서 "감사하다. 서로 사랑해라"라는 말씀으로 유명하다. 사랑과 나눔을 실천으로 말과 행동에 삶의 큰 깨달음을 얻는다. 나눔과 배려는 감사와 감동을 주는 삶이다. 사랑과 따뜻한 마음이 행복을 좌우한다. 행복은 사람을 위한 가치 있는 일을 할 때 보상한다. 희생과 봉사는 사회에 영향력을 끼치는 삶이다. 헌신과 열정은 믿음과 신뢰를 주는 삶이다.

아리스토텔레스는 "사람은 사회적 동물이다."라고 했다. 개인이 모여 친구가 된다. 남녀가 모여 가족이 되고 가족이 모여 사회를 이룬다. 개인은 다른 사람과 관계를 맺으며 살아간다. 사회 없이는 존재할 수 없다. 주변의 모든 사람과 함께 이루는 게 사회이다. 이 세상에서 가족과 사회의 관계 속에서 사는 게 인간의 삶이다. 직장에서 은퇴해도 계속 세상에서 지내야 하는 이유다.

가치 있는 삶을 실천하는 길은 사랑이다. 따뜻하고 부드러운 마음을 품고 살고 싶다. 인생은 마음먹기에 따라 모든 것이 결정된다고 전한다. 겸손한 태도, 긍정적인 태도, 적극적인 태도, 정직한 태도, 성실한 태도이다. 삶에서 해답이 보이지 않는다고 해서 좌절하지 마라. 결국은 내 태도에 따라 세상은 밝다. 모든 것은 내 마음먹기에 달려있다. 내가 할 수 있는 것을 찾아서 하는 행동을 한다.

어떤 삶이 올바른 삶인가?

대부분 먹고사는 데 정신이 팔려 삶의 의미를 모르는 채 살고 있다. 삶에 주어진 기회는 딱 한 번뿐이다. 오래 살았다고 잘 살고, 병 없이 살았다고 행복한 것이 아니다. 대부분 사명감과 책임감으로 열심히 산다. 대부분 어떤 일을 하든지 그 일을 잘 해내려는 마음이나 자세로 지냈다.

세상에서 가장 소중한 게 뭐냐고 묻는다면 대답이 궁금하다. 마음속에 무엇을 소중하게 생각하고 간직하며 살았는가가 중요하다. 오늘보다 소중한 날이 또 있을까. 정말로 중요한 것과 중요하지 않은 것이 무엇인지 생각해 본다. 삶의 깨달음을 얻는다면 보물을 찾은 것이다.

가치 있는 삶이란 어떤 삶일까?

소크라테스는 이 질문에 "자신의 삶에 대해 성찰할 수 있어야 한다"라고 말한다. 누구나 삶을 반성하지는 않는다. 만족하며 사는 경우도 많다. 가장 행복했던 순간은 언제인가요? 묻는다면 사람마다 행복의 순간과 행복의 조건은 다르다.

타인을 존중하면서도 나를 사랑하는 멋진 사람이 되도록 노력하자. 행복은 나눌수록 커지고 슬픔은 나눌수록 작아진다는 말처럼 된다. 혼자 감당해야 할 일은 점점 늘어간다.

나는 누구인가?
나는 무엇을 하며 살까?
나는 왜 그렇게 하는 것일까?
나 이제 어떻게 살까?
나는 더 잘할 수는 없을까?
나는 더 나은 행동 어떻게 할까?

사는 게 행복이고 기쁨이라 생각하고 사는 마음이 제일이다. 가족을 사랑하는 마음으로 이웃과 세상을 사랑하면 행복한 삶이다. 삶에서 만족하며 사는 게 행복이다. 정신적인 가치와 봉사, 삶의 지혜를 나누는 일이 행복이다.

나도 즐겁고 주변 사람들도 즐거운 일을 하며, 내가 가진 것을 이웃에 나눠주며 사는 것이 가치 있는 인생이라는 가르침이다. 직장에서 또는 가정에서 누군가 나의 도움이 필요할 때 외면하지 않고 나의 이익보다는 타인의 이익에 공헌하는 삶을 살고자 노력하려고 한다. 세상에 이바지하는 삶이라면 더 바랄 게 없다. 행함의 깨달음을 얻는다면 축복이다. 시간은 가고 세월은 흘러가는 게 자연의 이치이다.

모든 게 감사한 일이다. 자신만의 삶의 목적을 사는 것이다. 더 멋있게 사는 일, 더 가치 있게 사는 일, 더 보람차게 사는 일, 더 아름답게 사는 일이 남아있다.

지금 잘하는 게 무엇이고, 잘할 수 있는 일은 무엇인가?

잘하는 일의 기준은 평가할 수 없지만, 내가 잘 안다. 마냥 즐겁고 재미있는 일이다. 그저 뿌듯하고 신나는 일이다. 내가 어떤 분야에서 열심히 살고 있고 이를 베푸는 게 행복이다. 내가 잘하는 일로 남을 이롭게 하는 게 홍익인간의 삶이다. 남을 이롭게 행동하는 일. 이는 남에게 피해를 주지 않는 일도 포함한다.

5부. 행복은 휴(休)테크이다.

취미든 재능이든 상관없다. 다만 잘한다고 생각하는 일로 남을 돕는다면 내가 행복하고 남도 행복할 것이다. 그 재능을 다른 사람과 나눔 행사를 한다면 그것이 행복이다.

누구나 죽음에 관해 두렵다. 죽음이라는 건 겁나고, 무서운 일이다. 불안한 건 누구나 마찬가지다. 다만 이게 내일이 아니라고 생각하고 산다. 지금 그렇다고 미래를 생각해 안달하지 않기를 바랍니다. 누구나 다 때가 있으니, 좋아하는 일, 잘하는 일, 하고 싶은 일을 찾아서 즐겁고 행복하게 지내길 바란다.

아프리카 속담에 "노인 한 사람이 죽으면 도서관 하나가 불타는 것과 같다"라는 말이 있다. 노인(老人)은 Know 인(人)이다. 삶에서 노인의 경험과 지식, 지혜는 도서관의 많은 책과 같은 가치를 지닌다.

경험은 인생의 스승이라고 한다. 한 사람의 인생사는 한 편의 영화이고, 역사이고, 지혜를 이어받을 보물이다. 지금의 위치에서 세상을 아름답게 보고, 세상에 이바지하는 삶이 지혜다. 나이가 많거나 적거나 누구나 능력이 있다. 이를 잘 활용하는 게 세상에 이바지하는 삶이다. 세상 경험이 많은 어른이 다음 세대를 위하여 지혜를 전한다. 노인은 삶의 경험으로 지혜를 전하는 전도사이다. 자아실현이라는 삶은 세상에 가치를 발휘하며 행복한 인생이다.

노후에는 자신의 삶을 정리하고, 도전하는 제2의 인생을 살기 위한 준비를 한다. 인생은 희로애락의 삶이다. 누구나 내 인생을 정리할 필요가 있다. 내 삶을 되돌아보고 내 역사를 쓰는 일이다. 개인 삶은 가족의 삶이요, 한 시대의 사회를 기억하여 기록하는 일이다. 내 남은 인생 글쓰기 비법을 전하고 도와주며 도서관에서 제2의 인생을 지낼 각오다. 삶의 지혜가 중요하다. 오늘 일을 내일로 미루지 말고 한다. 오늘은 현재다. 과거가 오늘이 될 수 없고 미래가 오늘이 될 수 없다. 아침에 눈을 뜨면 오늘도 감사하게 사는 게 행복이다. 현재가 중요하다. 좋은 시기는 적당한 시기도 아니고 가장 적절한 시간이 지금이다. 지금, 이 순간을 더 잘 사는 법을 배우는 것이다. 만족하는 삶이다. 오늘보다 소중한 날은 없다.

　오늘이 선물이다. 영어 단어 Gift와 Present는 모두 선물이라는 의미다. Present는 "선물"이라는 뜻도 있고 "현재", "지금"이라는 뜻도 된다. 과거는 추억이고, 현재는 선물이다. 과거 없는 현재가 없고 현재 없는 미래가 없다. 그렇다면 현재를 선물이라고 하는 것은 현재의 삶은 나에게 주어진 최고의 선물 중의 선물이기 때문이다. 신이 우리에게 준 선물. 바로 지금, 이 순간이다. 영정사진을 생각해 보자. 지금 찍어둔다면 가장 젊은 날의 내 영정사진이 된다. 지금이 내 인생에서 가장 젊은 날 시작이다.

행복을 누리는 사람

　세상에 이바지하는 사람 행복은 누리는 것이다.

　행복은 그냥 주어지는 게 아니다. 나로부터 출발한다. 내가 하는 일에 열정과 사랑, 즐거움과 의미, 가치를 정하고 노력하고 사는 일이다. 내가 가장 잘하고 즐거운 게 있으면 이를 삶에서 행하는 일이 행복이다.

　행복은 나를 찾는 게임이다. 내가 가진 것에 대한 감사하는 기쁜 마음이다. 나를 사랑하고 꿈과 희망을 품으면 행복을 내가 만드는 것이다. 내가 가진 마음을 찾는 내 마음이다. 마음에 집중하면 삶의 의미를 생각하게 된다.

　아리스토텔레스는 "행복은 삶의 의미이자 목적이며, 인간 존재의 전체적인 목표와 종착점이다."라고 말했다. 삶의 궁극적인 목표는 행복이다. 인간은 행복을 이루기 위해서는 이성에 따라 미덕을 살아가는 것이 중요하다고 했다. 덕을 베풀며 지내는 게 행복해지는 삶의 출발이요 도착 지점이다. 삶의 의미는 행복을 추구하는 삶이다. 이게 인생의 지혜이고 가치이다.

골든서클에 무엇을 채울까?

왜 살지? 무엇을 하며 살까? 어떻게 살까?

"하쿠나마타타(Hakuna Matata)"

"문제없다.", "걱정이 없다"라는 의미이며 "모든 것이 다 잘될 것이다"라는 긍정적인 뜻으로 해석한다.17) 행복은 성적순이 아니라 선착순이다. 긍정적인 생각과 마음을 단단히 하는 믿음과 가치관에 달려있다. 더 나은 삶을 위한 일이 남아있다. 웰빙과 웰다잉의 마음가짐이다. 인생의 목적은 행복이다. 삶의 목적이 행복이라면, 웃음은 행복의 문을 여는 열쇠라고 한다. 행복에 이르는 가장 쉬운 길은 아침에 일어나 내가 가진 것에 감사함을 느끼는 일이다. 100세 시대를 맞아 황금빛 내 인생 행복한 삶을 바란다.

Bravo Bravo Your Life !

잠이 부족하면 스트레스가 증가한다. 노는 게 배우는 것이다. 행복하게 사는 방법은 재미있게 흥미 있는 일을 취미 삼아 사는 일이다. Long Run is Long Learn이다. 오래 활동하는 삶은 다시 시작하는 삶이다. 롱런(Long Run)은 롱런(Long Learn)이다.

---

17) 위키백과 하쿠나마타타
　 https://ko.wikipedia.org/wiki/하쿠나마타타

자아실현 하는 삶

무엇인 가치 있는 인생일까?

적성에 잘 맞는 직업을 선택하는 게 삶의 만족도가 높다고 한다. 자신의 역량을 잘 발휘할 수 있는 분야는 삶의 만족감을 높일 수 있다. 인생은 경험과 경력이 중요하다. 내 삶을 만족스럽게 살면서 노후를 준비하면 으뜸이다.

헬리스 브릿지스는 "나는 그저 살아가기 위해 태어난 것이 아니다. 의미 있는 인생을 만들기 위해 태어난 것이다."라고 했다. 매슬로는 "자아실현 욕구는 성장 동기가 계속적으로 충족되는 것"이라고 말했다. 어떤 상태에 있더라도 스스로 가장 만족한, 가장 충만한 상태를 유지할 수 있는 것이 바로 자아실현의 단계이다. 자기 자신의 기준을 만족시키는 상태를 말한다. 자아실현은 물질적 욕구와 사회적 욕구를 뛰어넘는 정신적인 자기만족, 외부의 상대적 기준에 의해서가 아니라 자기 자신의 기준을 만족시키는 상태이다. 자아실현을 해야 하는 이유는 자신의 잠재력을 통해 만족감을 느낄 수 있기 때문이다. 자기만족이요 행복이다. 제2의 후반전 삶은 의미와 가치를 생각하는 삶이다.

내 인생은 내 것이지만 내 인생 시간은 정해져 있다. 시간 낭비는 아까운 일이다. 나는 나다. 내가 중심을 잡고 뒷심을 발휘할 때이다. 개인이 추구하는 가치가 하는 일에서 의미를 찾을 수 있다면 금상첨화이다. 50세 전후에 은퇴한다면 인생의 절반을 산 셈일 뿐이다. 60에 은퇴해도 40년이다. 과거 40년 전으로 간다면 20세이다. 무엇이든 할 수 있는 나이가 되는 시기다.

배움에 나이가 중요할까?
무엇인가 하기엔 나이가 많다고 할 수 있을까?

100세 시대 퇴직 후 삶은 인생 2모작이다. 평생 학습 시대이다. 나이가 들어 비로소 배움을 시작한 사람도 많다. '나이는 숫자에 불과하다'라는 말이 있다. 잘하는 일, 좋아하는 일, 즐거운 일, 세상에 이바지하는 일, 의미 있는 일, 가치 있는 일…. 이 일을 찾아서 한다면 청춘이다. 청춘은 바로 지금부터이다. 제대로 할 일이 없다면 배워서 행하는 게 삶이다.

"늦었다고 생각할 때가 가장 빠른 때다"라는 말이 있다. 늦었다고 생각하더라도 포기하지 않고 일을 실행하는 것이 아무것도 하지 않고 있는 것보다는 낫다는 뜻이다. 후회하지 말아야 한다는 가르침이다. 지금 늦지는 않았지만, 빠른 것도 아니다. 지금 시작하면 가장 빠른 때이다.

5부. 행복은 휴(休)테크이다.

어차피 안될 거 빨리 포기하는 게 더 낫다는 이야기가 맞는 말일지도 모르겠다. 미움받을 용기가 필요하다. 선인들도 스스로 깨우치는 중요성을 일컬어 '일신일신우일신(日新日新又日新)'이라 했다. 모든 일은 자신이 내딛는 첫 발자국으로부터 시작된다. 삶에 늦은 거란 없다. 늦었다고 생각할 때는 사실상 가장 빠른 때다.

지금 오늘이 가장 젊은 날 아닌가?
내 마음은 무엇일까?

사무엘 울만의 『청춘』 중에서 "영감이 끊기고 정신이 냉소의 눈(雪)에 덮이고 비탄의 얼음(氷)에 닫힐 때 그대는 스무 살이라도 늙은이가 되네. 그러나 머리를 높이 들고 희망의 물결을 붙잡는 한 그대는 여든 살이라도 늘 푸른 청춘이네."

전반전을 후회하지 않으며, 후반전에도 후회 없는 삶이 되도록 지금부터 다시 시작한다. 제2의 인생 시작이다. 인생 후반전을 시작하는 거다. 후반전은 모든 게 낯설지만 시작하면 가장 빠른 때다. 오늘이 가장 젊은 날이다. 봉사, 여가 활동도 건강해야 할 수 있다. 100세 시대엔 시간도 많다. 배울 것도 많고 배워 남 주는 삶을 생각할 때이다. 사는 지역의 평생교육 센터는 찾아보면 많이 있다.

에머슨은 "봉사하라, 그러면 당신은 봉사 받게 될 것이다. 사람들을 사랑하고 그들에게 봉사한다면 당신은 꼭 보상받을 것이다."라고 했다. 작은 봉사라도 그것이 계속된다면 참다운 봉사이고, 만족의 길을 걷게 된다고 이야기한다. 행복은 결국 내 선택이다. 감사와 사랑을 실천하는 일이 행복한 일이다. 한가한 시간에 너와 나를 위한다면 참된 거란다. 남을 행복하게 하는 것은, 행복을 얻는 주인공이 된다. 행복의 가치는 사람마다 다르다. 더 큰 행복을 위한다면 지금 누릴 수 있는 행복을 찾아가면서 감사하는 마음이다. [18]

지금 알았던 것을 그때 알았더라면?
지금 보이는 것을 그때 알았더라면?
지금 느끼는 것을 그때 알았더라면?
지금 생각나는 것을 그때 알았더라면?
지금 깨달은 것을 그때 알았더라면?

---

18) 한국 시니어 TV
  인생은 60부터? 노후 준비를 위한 재테크 [생각을 바꾸는 시간 15회]
https://www.youtube.com/watch?v=AhgYnS-0BNM&ab_channel=%ED%95%9C%EA%B5%AD%EC%8B%9C%EB%8B%88%EC%96%B4TV

5부. 행복은 휴(休)테크이다.

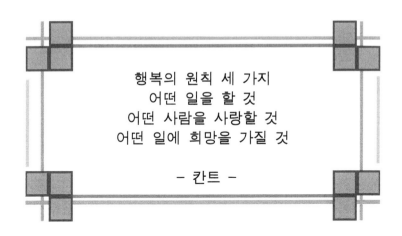

행복의 원칙 세 가지
어떤 일을 할 것
어떤 사람을 사랑할 것
어떤 일에 희망을 가질 것

- 칸트 -

맺음말

재테크는 삶이고 행복이다.

삶에 필요한 명언과 사례가 담겨있다. 인생은 비타민이 필요하다. 유쾌하고 상쾌하고 통쾌한 삶을 위한 비타민이 필요하다. 행복한 인생을 위한 행복 비타민 이야기를 제시했다. 좋은 글과 명언을 담은 책이다.

행복이란 무엇인가?

행복한 사람은 누구인가?

행복한 삶은 어떤 자세를 가져야 할까?

이 책은 행복한 삶을 위한 명언에 대한 글과 시(詩)로 구성했다. 인생에서 배움의 즐거움에 대한 명언과 의미를 담은 글이다.

한 줄의 글귀들은 삶에서 배움의 의미와 즐거움을 준다. 배움 비타민은 Learning by Doing의 실천을 말한다. "책 속에 길이 있다.", "책을 읽으면 미래가 보인다"라는 독서의 이유와 방법을 서술하였다.

즐거운 삶을 위한 앎의 기쁨과 독서 내용을 설명했다. 배움의 의미와 가치, 배움의 행복에 관한 내용을 제시했다. 인생에서 꿈을 꾸고 도전하는 삶의 가치, 삶의 중요한 의미를 표현했다.

행복은 저절로 주어지는 게 아니다. 일의 가치를 열정과 사랑, 즐거움과 의미를 파악해 본다.

내가 가장 잘하고 즐거운 게 있으면, 삶에서 행하는 일이 행복이다. 행복은 나를 찾는 게임이다. 내가 가진 것에 대한 감사하는 기쁜 마음이다. 행복한 삶에 대한 성찰과 깨달음에 대하여 안내했다. 내 성장과 발전을 위하고 세상을 올바르게 살아가는 길을 담았다. 하루, 일주일, 한 달, 일 년, 수십 년 생애 기간 내내 반복하는 삶이다.

교직 35여 년 경험과 지혜를 통해 인생 전반의 문제를 유쾌하고, 상쾌하게 펼쳐가게 하는 글이다. 어제보다 더 좋은 삶을 위하여, "너 자신을 알라", 세상에 이바지하는 삶, 경험을 실천하는 일 하고 싶다.

이 책은 재미와 의미 있는 교훈을 살펴본다. 더 좋은 삶을 위한 더 좋은 인간이 된다는 것이 무엇인지 생각하게 한다. 깨닫고 성장하는 인생, 성숙한 인생, 성찰하는 인생의 의미를 제공한다.

이 책은 삶을 무겁게 돌아보고 있는 자신을 발견하게 될 것이다. 책 속의 의미 있는 교훈을 삶에서 알고, 배우고 익혀서 삶에 실천하여 행복한 주인공이 되길 소망한다. 어느덧 한 세대 기간을 가르치면서 작게나마 모든 분께 고마움과 감사함으로 마무리하고 싶다. 가르치는 일은 세상 누구보다 행복한 사람이다. 여러분이 삶의 현장에 조금이나마 이바지할 수 있기를 바랍니다. 모두가 좋은 사람이 되어 앞날에 꽃길이 펼쳐지길 바라며 이글을 바칩니다.

"하쿠나마타타"
"카르페디엠"
"아모르파티"

평생 배우고 익히는 게 행복한 삶이다. 앎을 삶으로 행하면 행복해지는 삶이 지속되길 기대된다.

이 책은 재테크의 모든 것을 안내하는 내용이다.
재테크가 단순히 돈을 버는 일이라고 알고 있는 재린이를 위한 글이다. 재린이는 재테크 어린이를 말한다. 재테크의 의미와 개념을 재정의하여 알리는 책이다.

재테크는 지테크이고, 재테크이며, 인테크이다.

지테크는 지(志, 知, 智)테크이고,

재테크는 재(才, 財, 再)테크이며,

인테크는 인(人, 仁, 忍)테크이다.

재테크를 제대로 이해하여 좋은 사람이 되길 기대한다.

좋은 사람은 나와 세상을 중심으로 세상에 공헌하는 홍익인간(弘益人間)의 삶이다. 세상 사람 모두가 행복한 삶을 살아가길 희망한다.

이 책은 재테크에 관한 책이다. 여기에서 재테크는 의미가 다양하게 제시된다. 재테크는 지테크이다. 재테크는, 지테크이며, 재태크이고, 인테크를 말한다. 재테크는 돈과 재정에 관해 투자에 대한 방법을 제시하는 게 아니다. 세상에서 편안하고 행복하게 살기 위한 세상 공부와 인생 공부에 대한 글이다. 자신감과 당당함으로 세상에서 행복한 삶을 위한 행복 찾는 길을 안내한다.

재테크와 행복은 내 마음먹기에 달려있다. 그렇지만 사람은 마음가짐이 다르다. 내가 행복을 정하고, 내가 행복을 결정하는 삶이다. 행복은 내 것이며, 누구나 다 행복할 권리가 있다. 삶에서 행복한 사람이 따로 있는 게 아니라 마음먹기에 행복이 달라진다.

재테크란 무엇일까?

행복이란 무엇인가?

행복한 사람은 누구인가?

행복한 삶은 무엇인가?

행복한 삶은 어떤 자세를 가져야 할까?

이 책은 행복한 삶을 위한 재테크에 관한 글과 시(詩)로 구성된다. 행복한 삶에 필요한 재테크의 개념과 본질이 담겨 있다.

행복은 그냥 주어지는 게 아니다. 행복은 찾는 것이다. 나로부터 출발한다. 내가 하는 일에 열정과 사랑, 즐거움과 의미, 가치를 정하고 노력하고 사는 일이다. 내가 가장 잘하고 즐거운 게 있으면 이를 삶에서 행하는 일이 행복이다. 행복은 나를 찾는 게임이다. 내가 가진 것에 대한 감사하는 기쁜 마음이다.

재테크를 하는 이유는 행복한 삶을 위한 일이다. 모든 것은 내 마음먹기에 달려있다. 내 인생 주도적으로 펼쳐나가는 에너지가 될 것이다. 나를 사랑하고 꿈과 희망을 품으면 행복을 내가 만드는 것이다. 내가 가진 마음을 찾는 내 마음이다. 마음에 집중하면 삶의 의미를 생각하게 된다.

100세 시대는 평생 학습하는 삶이다. 인생은 배우며 익히며 앎을 실천하는 삶이며, 깨닫는 삶이라면 더욱 바랄 게 없다. 인생에는 정답이 없다. 인생은 선택이다. 선택은 내가 잘해야 기회가 오고, 기회를 통해서 삶을 바꾸어 갈 수 있다. 내가 선택하여 만들어 가는 내 인생이다. 롱런(Long Run)은 롱런(Long Learn)이다. 기쁨도 고단함도 슬픔도 기꺼운 마음으로 받아들이며 살아내는 삶이 진정한 삶이다. 오늘도 감사하는 마음으로 잘사는 것이다. 도서 『재(財)테크는 지(知)테크이다』 내 인생의 행복을 찾게 되는 보물이 되길 바랍니다.

이 책을 읽는 지금이야말로 불확실한 미래를 바꿀 수 있는 기회입니다. 지금이 재테크를 가장 빠르게 하는 때입니다. 더 늦기 전에 재테크는 바로 지금부터 실천하길 바랍니다. 행동으로 옮기는 일이 재테크의 기본입니다. 이 책을 읽고 재테크에 좋은 길잡이가 되길 기대합니다.

행복한 삶을 살아가는 데 조금이나마 이바지할 수 있기를 바라며, 이 글을 바칩니다.

고맙습니다. 감사합니다. 사랑합니다.

2024.6. 상상 그 이상

강신진

[참고 문헌]

《나는 교육실천가》, 강신진, Bookk, 2023.
《네 꿈을 펼쳐라》, 강신진, Bookk, 2023.
《행복한 교사의 일상》, 강신진, 유덕철, Bookk, 2023.
《행복해지는 교사들의 7가지 수업》, 강신진, 유덕철, Bookk, 2023.
《수석교사 수업 톡(talk)》, 강신진,장양기,유덕철, Bookk, 2023.
《내 마음의 시(詩)》, 강신진, 원성균, Bookk, 2022.
《수석교사 제도》, 강신진, 부크크, 2023.
《세상에 이런 법이》, 강신진, 부크크, 2022.
《누구나 글쓰고 작가되는 비법》, 강신진, 최진, Bookk, 2023.
《네 꿈을 펼쳐라》, 강신진, Bookk, 2023.
《돈 공부는 처음이라》, 김종봉, 제갈현열, 다산북스, 2023.
《누구나 쉽게 ChatGPT 활용법》, 강신진, Bookk, 2023.
《모든 것은 자세에 달려있다》, 제프 켈러, 김상미 역, ,아름다운사회, 2015
《나는 천천히 부자 되기로 했다》, 조녀선클래먼츠, 이미숙, 리더북스, 2022
《써먹는 심리학》, 하라다레이지지음,최종호 옮김, 진선books, 2011
《돈은 모든 것을 바꾼다》, 김운아, 한국경제신문, 2024
《인간관계 맥을 짚어라》, 양광모, 청년 정신, 2008
《휴테크 성공학》, 김정운, 명진출판, 2003

[참고사이트]

위키백과 https://ko.wikipedia.org/wiki/다중지능이론
위키백과 https://ko.wikipedia.org/wiki/재테크
위키백과 https://ko.wiktionary.org/wiki/어질다
위키백과 https://ko.wikipedia.org/wiki/홍익인간)
위키백과 https://ko.wikipedia.org/wiki/웰빙)
위키백과 https://ko.wikipedia.org/wiki/제4차_산업혁명
위키백과 https://ko.wikipedia.org/wiki/챗봇
위키백과 https://ko.wikipedia.org/wiki/ChatGPT

위키백과 https://ko.wikipedia.org/wiki/호모파베르
위키백과 https://ko.wikipedia.org/wiki/호모루덴스
나무위키 https://namu.wiki/w/인(仁)
나무위키 https://namu.wiki/w/다중지능이론
나무위키 https://namu.wiki/w/챗봇
정연식코치의 커리어앤라이프 https://careernlife.tistory.com/363
한국교육신문 http://www.eduyonhap.com/news/view.php?no=64664
교육연합신문 https://www.hangyo.com/news/article.html?no=96737
전자신문 https://www.etnews.com/20230706000179
서울경제 신문 https://www.sedaily.com/NewsView/26F1VKTGIZ
경남매일(http://www.gnmaeil.com
    http://www.gnmaeil.com/news/articleView.html?idxno=444720
한겨레 https://www.hani.co.kr/arti/society/schooling/1098511.html
교육기본법 국가법령정보센터법규
        https://www.law.go.kr/법령/교육기본법

책의 일부 그림은 AskUp에서 생성한 그림,
뤼튼(Wrtn)에서 생성한 그림을 사용했습니다.
https://wrtn.ai/

더 나은 삶을 위한 인생 투자 기법

재테크는 지테크다

저 자 | 강신진

발 행 | 2024년 6월 18일
펴낸이 | 한건희
펴낸곳 | 주식회사 부크크
출판사등록 | 2014.07.15.(제2014-16호)
주 소 | 서울특별시 금천구 가산디지털1로 119
　　　　　　　　　　　SK트윈타워 A동 305호

전 화 | 1670-8316
이메일 | info@bookk.co.kr

ISBN | 979-11-410-8852-1

www.bookk.co.kr
ⓒ **강신진 2024**